Marlo Morgan

...E VENNE CHIAMATA DUE CUORI

Illustrazione di Carri Garrison

Sonzogno

Prima edizione Sonzogno ottobre 1994
Sessantesima edizione Sonzogno febbraio 2003

Titolo originale:
Mutant Message Down Under

Traduzione di
Maria Barbara Piccioli

ISBN: 88-454-0703-9

Questo libro è dedicato a mia madre;
ai miei figli, Carri e Steve;
a mio genero, Greg;
ai miei nipoti,
Sean Janning e Michael Lee;
e soprattutto al mio papà.

L'uomo non tesse la ragnatela della vita, di cui è soltanto un filo.
Qualunque cosa fa alla ragnatela, la fa a se stesso.

American Chief Seattle

L'unica maniera per superare una prova è affrontarla. Questo è inevitabile.

Anziano Cigno Nero Reale

Solo dopo che l'ultimo albero sarà stato abbattuto. Solo dopo che l'ultimo fiume sarà stato avvelenato. Solo dopo che l'ultimo pesce sarà stato catturato. Soltanto allora scoprirai che il denaro non si mangia.

Profezia degli indiani Cree

Nascere a mani vuote,
morire a mani vuote.
Ho contemplato la vita nella sua pienezza,
a mani vuote.

Marlo Morgan

Ringraziamenti

Questo libro non esisterebbe se non fosse per due persone speciali... due anime che mi hanno accolta sotto la protezione delle loro ali e pazientemente incoraggiata a volare, a librarmi in alto. Un grazie particolare, dunque, a Jeannette Grimme e a Carri Garrison, per aver condiviso questo viaggio letterario che doveva condurmi a profondità insondabili.

Grazie all'autore Stephen Mitchell per la sua capacità di partecipazione e per avermi incoraggiata scrivendo: "Se non ho sempre tradotto le loro parole, la mia intenzione è sempre stata quella di tradurre le loro menti".

Grazie a Og Mandino, al dottor Wayne Dyer e alla dottoressa Elisabeth Kubler-Ross, tutti autori/conferenzieri di qualità e persone autentiche.

Grazie al giovane Marshall Ball, per aver dedicato la vita all'insegnamento.

E grazie anche a zia Nola, al dottor Edward J. Stegman, a Georgia Lewis, Peg Smith, Dorothea Wolcott, Jenny Decker, Jana Hawkins, Sandford Dean, Nancy Hoflund, Hanley Thomas, al rev. Marilyn Reiger, al rev. Richard Reiger, a Walt Bodine, Jack Small, Jeff Small e Wayne Baker della Arrow Printing, a Stephanie Gunning e Susan Moldow della Harper-Collins, e Robin Bem, Candice Fuhrman, e soprattutto al presidente della MM Co., Steve Morgan.

Dall'autrice al lettore

Questo libro è frutto di un'esperienza vissuta. Come presto scoprirete, non avevo nulla per scrivere a portata di mano. Viene venduto come "romanzo" per proteggere la piccola tribù degli aborigeni da qualunque problema legale. Mi sono presa la libertà di eliminare alcuni particolari in segno di rispetto verso degli amici che non desiderano venire identificati, e per essere certa che il nostro sacro luogo continui a restare segreto.

Vi ho evitato un viaggio fino alla biblioteca pubblica, dato che le informazioni storiche più significative figurano nel testo. E sono anche in grado di evitarvi un viaggio in Australia, perché le condizioni in cui attualmente versano gli aborigeni sono riscontrabili in qualunque città americana: abitanti di pelle scura che vivono in quartieri-ghetto, con un tasso di disoccupazione che supera il cinquanta per cento. Quelli che lavorano svolgono le mansioni più umili e sembrano aver perso ogni contatto con la loro cultura d'origine. Come gli indiani americani, sono confinati nelle riserve e da generazioni viene loro impedito di praticare qualunque rito sacro.

Quello che non posso evitarvi è il *Messaggio ai mutanti*!

L'America, l'Africa e l'Australia sembrano impegnate nel tentativo di migliorare i rapporti fra le varie etnie, ma da qualche parte nell'arido cuore dell'Outback, l'entroterra australiano, è ancora udibile un battito lento, regolare e antico, quello di un gruppo etnico assolutamente unico, che ignora il significato del termine *razzismo* e si cura solo degli altri esseri umani e dell'ambiente. Comprendere questo battito significa comprendere meglio la nostra umanità, ossia l'ESSERE UMANO.

Questo testo, privo di qualsiasi intento polemico e pubblicato a mie spese, ha sollevato innumerevoli controversie. Leggendolo, potete giungere a parecchie possibili conclusioni. Al lettore potrebbe per esempio sembrare che l'uomo di cui parlo come del mio interprete abbia negli anni passati disatteso le leggi e le normative del governo: censimenti, tasse, esercizio del diritto di voto, sfruttamento del suolo, concessioni minerarie, denuncia di nascite e di decessi, e così via. E che abbia inoltre aiutato altri membri della tribù a fare lo stesso. Mi è stato chiesto di far uscire quest'uomo allo scoperto e di accompagnare un gruppo nel deserto, per ripercorrere il tragitto da noi seguito. Ho rifiutato! Di conseguenza, molti concluderanno forse che sono colpevole di aver aiutato la tribù a non rispettare la legge; oppure, non avendolo esibito pubblicamente, di aver mentito circa la sua esistenza.

Ecco la mia risposta. Io non parlo a nome di tutti gli aborigeni australiani, ma solo di una piccola tribù dell'Outback che a se stessa attribuisce il nome di Popolo Selvaggio o di Coloro che sono Antichi. Sono tornata a visitarli una seconda volta, e sono quindi rientrata negli Stati Uniti poco prima del gennaio 1994. E di nuovo ho ricevuto la loro benedizione e la loro approvazione per il modo in cui stavo gestendo l'incarico affidatomi.

A te, lettore, vorrei dire che esistono persone il cui unico scopo è quello di divertirsi. Se appartieni a questa categoria, leggi, divertiti e poi va' per la tua strada, proprio come faresti dopo aver assistito a una buona rappresentazione teatrale. Per te, quanto sto per raccontare è un semplice esercizio narrativo, ma non resterai deluso, e non avrai sprecato il tuo denaro.

Se invece sei fra coloro che sono in grado di ascoltare il messaggio, lo sentirai forte e chiaro. Te lo sentirai nelle viscere, nel cuore, nella testa e fin nel midollo delle ossa. Perché, vedi, avrebbero potuto benissimo scegliere te per questo vagabondaggio nell'interno, e ti garantisco che più di una volta ho desiderato che fosse andata davvero così.

Tutti abbiamo dentro di noi un entroterra dove viviamo esperienze che contribuiscono alla nostra crescita; il caso ha voluto che la mia si verificasse nell'Outback vero. Ma non ho fatto altro che quello che avresti fatto tu.

Mentre sfogli queste pagine, possa la gente di cui parlo toccarti il cuore. Io scrivo in inglese, ma la loro verità non ha voce.

Il mio suggerimento è che tu assapori il messaggio, gusti quello che va bene per te e sputi fuori il resto; in fondo, è proprio così che gira il mondo.

Secondo la tradizione della gente del deserto, ho inoltre assunto un nuovo nome, a indicare l'acquisizione di una nuova capacità.

In fede

Lingua che Viaggia

Questo libro è un'opera di fantasia ispirata da quanto mi è accaduto in Australia. Avrebbe potuto svolgersi in Africa, in Sudamerica o in qualunque altro luogo in cui sia ancora vivo il vero significato di civiltà. Sta al lettore, o alla lettrice, captare dalla mia storia il proprio messaggio.

M.M.

...E venne chiamata Due Cuori

L'ospite d'onore

Qualche avvisaglia avrebbe dovuto esserci, ma io non ne colsi alcuna. Gli eventi erano già in moto; il gruppo di predatori sedeva, a chilometri e chilometri di distanza, in attesa della vittima. Il bagaglio che avevo appena disfatto l'indomani sarebbe stato etichettato come "non reclamato" e avrebbe atteso in deposito, mese dopo mese. Stavo per diventare uno dei tanti americani che scompaiono in un paese straniero.

Era una soffocante mattinata d'ottobre e io mi trovavo nel piazzale antistante l'hotel australiano a cinque stelle, in attesa di una guida sconosciuta. Ben lungi dal captare ammonimenti, il mio cuore cantava. Mi sentivo talmente in gamba e talmente eccitata! Nel mio intimo ne ero assolutamente certa: quella era la mia giornata fortunata.

Poi una jeep scoperta imboccò il viale d'ingresso circolare. Ricordo di aver sentito i pneumatici stridere sul selciato fumante. Uno spruzzo d'acqua si levò al di sopra delle foglie scarlatte della bordura che delimitava il viale e andò a finire sul metallo arrugginito. La jeep si fermò e l'autista, un aborigeno sui trent'anni, guardò verso di me. *Venga*, mi chiamò la sua mano nera. Stava cercando un'americana coi capelli biondi. Quanto a me, ero in attesa di venire accompagnata a un raduno tribale di aborigeni. Sotto i severi occhi azzurri del portiere australiano in uniforme, che palesemente disapprovava, concordammo senza bisogno di parlare sulle rispettive identità.

Prima ancora che mi arrampicassi goffamente sul veicolo, impacciata dai tacchi alti, avevo già capito di essere vestita in modo troppo elegante. Il giovane autista seduto alla mia destra portava pantaloncini corti, una lurida T-shirt bianca e scarpe da tennis senza calze. Quando era stato organizzato il mio trasporto sul luogo del raduno, avevo dato per scontato che si sarebbe svolto a bordo di una normale automobile, magari una Holden, orgoglio dell'industria automobilistica australiana. Neppure per un momento avevo immaginato di dover viaggiare su un mezzo scoperto. In ogni caso, per quell'incontro preferivo essere vestita con troppa eleganza piuttosto che in modo eccessivamente dimesso; dopo tutto, si trattava di un banchetto in mio onore!

Mi presentai, ma lui si limitò a un cenno d'assenso, come se sapesse già perfettamente chi ero. Il portiere ci guardò accigliato quando gli passammo davanti. Ci inoltrammo per le strade della città costiera, oltre file di case con verande anteriori, latterie, tavole calde e parchi di cemento senza un filo d'erba. Mi aggrappai forte alla maniglia quando facemmo il giro di un rondò in cui convergevano sei strade. Uscendone, ci trovammo col sole alle spalle, e nel mio nuovo tailleur color pesca con camicetta di seta in tinta cominciavo già a sentirmi spiacevolmente accaldata. Pensavo che l'edificio a cui eravamo diretti fosse all'altro capo della città, ma mi sbagliavo. Imboccammo l'autostrada che correva parallela al mare e a quel punto cominciai a rendermi conto che l'incontro doveva essere stato organizzato fuori città, ben più lontano di quanto avessi previsto. Mi tolsi la giacca, dandomi mentalmente della sciocca per non aver pensato a chiedere maggiori dettagli. Fortunatamente in borsa avevo una spazzola, e mi ero raccolta i capelli, lunghi fino alle spalle e schiariti dal sole, in una treccia molto alla moda.

La mia curiosità non era diminuita dal momento in cui avevo ricevuto la prima telefonata, che tuttavia non mi aveva sorpresa più di tanto. Dopo tutto, avevo già ricevuto altri riconoscimenti civici e il programma di cui mi stavo occupando aveva riscosso un grande successo. Avevo lavorato con mezzosangue aborigeni che risiedevano nei centri urbani e avevano manifestato tendenze suicide, aiutandoli a trovare uno scopo nella vita e ad assicurarsi una situazione economica soddisfacente, ed era inevitabile che prima o poi una simile iniziativa venisse notata. Un po' sorpresa comunque lo ero... La tribù che aveva promosso l'incontro viveva a più di tremila chilometri di distanza, sulla costa opposta del continente, ma, a parte le oziose osservazioni ascoltate occasionalmente, ignoravo quasi tutto delle tribù aborigene, e non sapevo se costituissero una comunità molto unita o se, come gli indiani d'America, fossero caratterizzate da differenze significative, quali la lingua.

Mi incuriosiva soprattutto la natura del premio che avrei ricevuto: una targa di legno incisa, da spedire a Kansas City a far compagnia alle altre, o un semplice mazzo di fiori? No, sicuramente non fiori, con una temperatura che si aggirava intorno ai trentotto gradi. Sarebbero stati solo di impiccio durante il viaggio di ritorno. Secondo gli accordi presi, l'autista era arrivato a mezzogiorno in punto, il che naturalmente significava che ci sarebbe stata una colazione. Chissà cosa diavolo avrebbero servito gli indigeni. In realtà speravo che non avessero chiesto l'intervento di una tipica società australiana di *catering*. Forse avevano organizzato un buffet alla buona, e per la prima volta avrei avuto l'opportunità di assaggiare l'autentica cucina aborigena. Sarebbe stato simpatico trovarmi davanti a una tavola traboccante di piatti sconosciuti e multicolori.

Ero certa, comunque, che sarebbe stata un'esperienza unica e mi ero preparata a una giornata memorabile. Nella borsa acquistata per l'occasione avevo infilato una macchina fotografica 35mm e un piccolo registratore. Non si era parlato di microfoni, di riflettori né dell'eventualità di un discorso da parte mia, ma ero pronta a tutto. In fondo, avevo ormai cinquant'anni, e nella mia vita ero incappata in delusioni e situazioni imbarazzanti abbastanza di frequente da non sottovalutare l'utilità dei piani alternativi. Anche gli amici sottolineavano spesso la mia autosufficienza. "Sempre col Piano B nella manica", dicevano.

Un *treno da strada* (il termine australiano per definire un autotreno con più rimorchi) ci sfrecciò accanto nella direzione opposta. Era emerso come dal nulla, nell'aria vibrante per il caldo, proprio al centro della carreggiata. Fui strappata ai ricordi quando l'autista sterzò bruscamente, e lasciata l'autostrada ci immettemmo in una malconcia strada sterrata, seguiti per chilometri e chilometri da una nube di polvere rossa. A un certo punto i due solchi su cui procedevamo scomparvero, e io realizzai che non c'era più nessuna strada davanti a noi, e che avanzavamo a zigzag fra i cespugli, sobbalzando sulla sabbia ondulata del deserto. Più volte cercai di attaccare discorso, ma il rumore del vento, le vibrazioni dell'auto e i continui scossoni vanificavano i miei sforzi. Anzi, ero costretta a tenere le mascelle serrate per evitare di mordermi la lingua. Era chiaro che il mio accompagnatore non aveva alcun desiderio di aprire i portali della loquela.

La mia testa ciondolava, quasi fosse attaccata al corpo di una bambola di pezza. E avevo sempre più caldo. Il collant doveva ormai essersi fuso con i piedi, ma non osavo togliermi le scarpe nel timore di vederle sparire, trascinate dal vento lungo la piatta distesa color rame che si stendeva a perdita d'occhio tutt'intorno a noi. E non ero affatto certa che il mio taciturno compagno si sarebbe fermato per recuperarle. Non facevo che pulire con l'orlo della gonna le lenti dei miei occhiali da sole, e ogni movimento delle braccia spalancava i cancelli a un fiume di sudore. Sentivo il trucco sciogliersi, e immaginavo che il fondotinta mi colasse lungo il collo in una serie di rivoletti rossastri. Avrebbero dovuto concedermi almeno venti minuti per rimettermi in ordine, prima della presentazione. Su questo punto non avrei ceduto!

L'orologio mi disse che procedevamo nel deserto già da due ore. Erano anni che non mi succedeva di sentirmi tanto accaldata e a disagio; e intanto l'autista si ostinava a tacere, a eccezione di qualche occasionale *uhm*. Di colpo mi ricordai che non si era presentato. Forse ero salita sulla macchina sbagliata! Ma naturalmente la mia era un'ipotesi assurda. Tanto per cominciare, a quel punto non sarei certo potuta scendere, e in secondo luogo lui sembrava piuttosto sicuro di avere a bordo la persona giusta.

Quattro ore dopo, ci fermammo davanti a una capanna di lamiera ondulata davanti a cui ardeva un piccolo falò. Al nostro avvicinarsi, due donne aborigene si alzarono. Erano di mezza età, basse di statura e succintamente vestite, ma inalberavano un caldo sorriso di benvenuto. Una portava intorno alla fronte una fascia da cui i capelli neri, folti e ricciuti, scappavano in tutte le direzioni. Entrambe erano snelle, con il corpo sodo e con facce rotonde in cui brillavano vivaci occhi castani. Stavo scendendo dalla jeep quando l'autista disse: "A proposito, io qui sono l'unico che parla inglese. Sarò il suo interprete e il suo amico".

Grandioso! pensai tra me e me. *Ho speso settecento dollari fra biglietto aereo, albergo e abiti nuovi per questo incontro con gli indigeni, e ora scopro che non conoscono neppure l'inglese, figurarsi la moda attuale!*

Ma ormai ero lì, e tanto valeva cercare di adeguarsi, anche se non ero affatto certa che ci sarei riuscita.

I suoni incomprensibili e aspri emessi dalle due donne mi sembravano più parole smozzicate che frasi compiute. Guardandomi, l'interprete spiegò che per partecipare al raduno avrei dovuto pulirmi. Non capivo. Certo, dopo il viaggio che avevamo fatto ero accaldata e coperta di polvere, ma avevo la sensazione che lui si riferisse a qualcosa di ben diverso. L'uomo mi tese un pezzo di stoffa: vidi che si trattava di uno di quei teli da avvolgere intorno al corpo. Dovevo indossarlo, disse ancora lui, dopo essermi spogliata completamente. "Come?" esclamai, incredula. "Non starà parlando sul serio!" Ma lui si limitò a ripetere le istruzioni con aria severa. Mi guardai intorno, alla ricerca di un angolino appartato in cui rifugiarmi. Inutile. Che cosa potevo fare? Mi ero spinta troppo oltre e avevo sopportato troppi disagi per rinunciare proprio adesso, e quando lui si allontanò pensai: *Oh, al diavolo. Starò molto più fresca senza tutta questa roba addosso.* Il più discretamente possibile, mi tolsi gli abiti fradici di sudore, li ripiegai con cura e mi avvolsi nel telo. Riposi la mia roba sul vicino masso su cui fino a pochi minuti prima sedevano le due donne. Mi sentivo un po' sciocca con addosso quello straccio incolore, e soprattutto rimpiangevo il denaro investito nell'acquisto di abiti nuovi che avrebbero dovuto farmi fare *bella figura*. Ricomparve il mio accompagnatore; anche lui si era cambiato: era praticamente nudo, con solo un panno indossato a mo' di costume da bagno. Come le due donne, era a piedi nudi. Subito mi esortò a liberarmi del resto: scarpe, calze, biancheria, gioielli; perfino le forcine che avevo tra i capelli. Cominciavo a sentirmi sempre meno curiosa e sempre più apprensiva, tuttavia obbedii.

Ricordo che cacciai i gioielli nella punta di una scarpa e anche di aver fatto una cosa che sembra venire naturale alle donne, essendo frutto dell'istinto e non di un insegnamento preciso: infilai la biancheria in mezzo alla pila degli indumenti.

Una cortina di denso fumo grigio si levò dalle braci ardenti quando vi furono aggiunti dei rami verdi. La donna con la fascia intorno alla testa prese un oggetto che identificai come l'ala di un grosso falco nero e cominciò ad agitarla davanti a me, come se fosse un ventaglio. Il fumo mi riempiva i polmoni. Poi la donna tracciò con l'indice un cerchio nell'aria, facendomi capire che dovevo girare su me stessa, ripeté alle mie spalle il rituale del ventaglio, quindi mi venne detto di andare dall'altra parte del fuoco, attraversando la cortina di fumo.

A quel punto mi venne annunciato che ero stata purificata e che potevo quindi entrare nella baracca di lamiera. Mentre mi dirigevo verso l'entrata, scortata dal mio accompagnatore, vidi la donna con la fascia chinarsi a prendere i miei vestiti e tenerli sospesi sulle fiamme. Sorridendo, si volse a guardarmi, e quando i nostri occhi si incontrarono aprì le braccia. Tutte le mie cose finirono tra le fiamme!

Per un momento lo stupore mi impedì persino di reagire, poi sospirai sconsolata. Non so perché non protestai e non corsi subito a cercare di salvare il salvabile. Semplicemente non lo feci. L'espressione della donna indicava chiaramente che non c'era alcuna cattiveria nel suo gesto, e che era anzi da intendersi come un segno particolare di ospitalità. *Non si rende conto; tutto qui*, pensai. *Non sa nulla di carte di credito e documenti importanti*. Rammentai con sollievo che il biglietto aereo era rimasto nella mia camera d'albergo, insieme con il resto dei miei vestiti. L'unico problema sarebbe stato attraversare la hall senza farmi notare e guadagnare la mia stanza. Ricordo che mi dissi: *Che diamine, Marlo, sei una persona abbastanza elastica, giusto? Non vale la pena di farsi venire un'ulcera per questo.* Comunque, presi mentalmente nota di recuperare almeno uno dei miei anelli, quando l'incontro fosse terminato. Con ogni probabilità, al nostro ritorno avremmo trovato il fuoco spento e le ceneri ormai fredde.

Ma questo non sarebbe accaduto.

Solo in retrospettiva compresi appieno la simbologia espressa attraverso l'eliminazione di quei preziosi e – ai miei occhi – indispensabili gioielli. Ma all'epoca dovevo ancora imparare che per quella gente il tempo non aveva assolutamente nulla a che fare con le ore segnate sul quadrante dell'orologio d'oro e brillanti che era appena stato definitivamente donato alla terra.

Molto più tardi, avrei capito che il distacco dagli oggetti materiali e da certe convinzioni costituiva già un passo necessario e imprescindibile del mio cammino umano verso l'*essere*.

Schede false nell'urna

Entrammo nella baracca, munita di tetto ma chiusa soltanto su tre lati. Non aveva porte né finestre e il suo unico scopo era di fornire riparo dal sole, o forse rifugio alle pecore. Dentro, la calura era resa più intensa da un altro fuoco che ardeva in mezzo a un cerchio di pietre. Non c'era traccia delle suppellettili abitualmente usate dagli uomini; niente sedie, niente pavimento, niente ventilatore; mancava anche l'elettricità. Non era, insomma, che una struttura di lamiera tenuta precariamente insieme da assi di legno consunto e putrido.

I miei occhi, ormai abituati all'abbacinante luce esterna, si adeguarono in fretta alle più scure tonalità dell'ombra e del fumo. All'interno, c'era un gruppo di aborigeni adulti, alcuni in piedi, altri seduti sulla sabbia. Gli uomini esibivano elaborate e variopinte fasce per capelli e avevano piume legate agli avambracci e alle caviglie. Intorno ai fianchi portavano pezze identiche a quella indossata dall'autista, ma a differenza di lui avevano il viso, le braccia e le gambe coperti da complessi arabeschi dipinti con la vernice bianca. Lucertole ornavano le loro braccia, mentre serpenti, canguri e uccelli sbucavano da gambe e dorsi.

L'aspetto delle donne era più sobrio. Alte più o meno come me, uno e settanta circa, erano in buona parte più anziane, ma la loro carnagione, della stessa tonalità del cioccolato al latte, appariva morbida e levigata. Quasi tutte avevano capelli ricci, tagliati molto corti sulla nuca. Le poche che li portavano un po' più lunghi esibivano una stretta fascia che si incrociava intorno alla testa e li teneva raccolti. Una vecchia con i capelli bianchi che stava vicino all'ingresso aveva ghirlande di fiori dipinte intorno al collo e alle caviglie. Mi accorsi che erano state eseguite con grande abilità; si vedevano persino le nervature delle foglie e lo stame al centro di ogni bocciolo. I loro unici indumenti erano pezze di tessuto o un telo simile a quello che avevano dato a me. Non scorsi bambini né neonati, e vidi solo un ragazzo adolescente.

Ma ad attirare la mia attenzione fu soprattutto la persona abbigliata nel modo più stravagante: un uomo con i capelli neri striati di grigio e una corta barba che accentuava la forza e la dignità del suo viso. In testa portava uno stupefacente ornamento composto da vivaci piume di pappagallo, e come gli altri aveva piume legate alle braccia e alle caviglie. Parecchi oggetti gli pendevano dalla vita e sfoggiava inoltre una sorta di elaborata corazza rotonda, fatta di ciottoli e semi. Molte donne ne portavano di simili, più piccole, come collane.

Sorridendo, l'uomo tese le mani verso di me. Mentre guardavo nei suoi vellutati occhi neri, provai una sensazione di pace infinita e di sicurezza. Non avevo mai visto un volto più gentile.

Le mie emozioni, tuttavia, erano a dir poco conflittuali. Da una parte, quei volti dipinti e le lance dalle punte aguzze come rasoi impugnate dagli uomini suscitavano in me un crescente senso di timore. Ciononostante, non c'era nessuno che mi guardasse con espressione meno che amichevole, e nella capanna regnava un'atmosfera di serena cordialità. Finii per assestarmi emotivamente più o meno a metà strada. Tutto questo non assomigliava per niente a quanto avevo previsto, e neppure in sogno avrei potuto concepire una situazione tanto potenzialmente pericolosa, creata da individui apparentemente tanto gentili. Se solo la mia macchina fotografica non fosse finita tra le fiamme! Che foto fantastiche avrei potuto incollare su un album, o mostrare, sotto forma di diapositive, a un affascinato pubblico di parenti e amici! I miei pensieri tornarono al fuoco. Che altro stava bruciando là fuori? Bastò quel ricordo a strapparmi un brivido: la mia patente internazionale, parecchie banconote australiane dal vivido color arancione, il biglietto da cento dollari che conservavo in uno scomparto segreto del portafoglio dai tempi lontani del mio primo impiego presso una società telefonica, il mio rossetto preferito, introvabile in quel paese, l'orologio di brillanti e l'anello che zia Nora mi aveva regalato per il mio diciottesimo compleanno; ecco che cosa stava alimentando il falò!

Ma dimenticai le mie preoccupazioni quando l'interprete mi presentò alla tribù. Lui si chiamava Ooota, e pronunciava il suo nome trascinando a lungo la prima vocale, cosicché l'effetto era un "oooooo" che terminava bruscamente con un secco "ta".

L'uomo con gli incredibili occhi neri veniva chiamato dagli aborigeni l'Anziano, non perché fosse il più vecchio del gruppo, ma con un significato più o meno equivalente al nostro "capo".

Una donna cominciò a battere insieme dei bastoncini, presto imitata da un'altra e poi da un'altra ancora. I portatori di lancia iniziarono a percuotere la sabbia con le loro aste mentre altri scandivano il tempo battendo le mani. Poi l'intero gruppo iniziò a cantare e a salmodiare. A forza di gesti, capii che mi invitavano a sedermi per terra. Si stava celebrando una festa, un cosiddetto *corroboree*, una specie di festival in cui le canzoni si susseguivano l'una dopo l'altra. Fino a quel momento non mi ero accorta che alcuni di loro portavano alle caviglie bracciali fatti con grossi baccelli, ma quando i semi secchi contenuti all'interno presero a crepitare proprio quegli ornamenti divennero il punto focale della danza. Non riuscii a distinguere alcuno schema preciso; a volte c'era una sola donna che ballava, a volte un intero gruppo. Capitava che gli uomini danzassero soli, poi le donne si univano a loro. Mi stavano rendendo partecipe della loro storia.

Alla fine il ritmo della musica rallentò e così i movimenti, fino a cessare del tutto. Ora si udiva soltanto un battito regolare, che sembrava sincronizzato con quello del mio cuore. Tutti tacevano, immobili, gli occhi fissi sul loro capo, che si alzò e venne verso di me. Sorrideva quando mi si fermò davanti. In quell'istante sperimentai un incredibile senso di comunione. Mi sembrava di trovarmi al cospetto di un vecchio amico, e per giustificare quella bizzarra sensazione mi dissi che, in qualche modo, la sua presenza riusciva a farmi sentire accettata e a mio agio.

L'Anziano staccò dalla cintura di pelle di ornitorinco che gli cingeva la vita un lungo tubo di cuoio che agitò verso il cielo. Quindi ne aprì un'estremità per rovesciarne a terra il contenuto. Una pioggia di sassi, ossa, denti, piume e dischi rotondi di pelle cadde intorno a me. Parecchi membri della tribù usarono l'alluce o un altro dito del piede per segnare il punto esatto in cui ciascun oggetto era caduto. Dopo di che tornarono a infilarli nel tubo, che l'Anziano mi tese dicendo qualcosa. Pensando a Las Vegas, lo sollevai in aria e lo scossi, poi, imitando i gesti dell'Anziano, lo aprii a mia volta. Due uomini si misero carponi e usando il piede di un compagno misurarono la distanza fra i punti in cui ciascun oggetto era caduto nel corso dei due lanci. Sentii qualche commento, ma Ooota non si offrì di tradurli per me.

Quel pomeriggio fui sottoposta a numerose prove. Una mi colpì in particolar modo: mi venne mostrato un frutto verde chiaro a forma di pera, ma con la buccia spessa come quella di una banana, e mi venne detto di prenderlo in mano e di benedirlo. Non sapendo bene cosa fare, mi limitai a recitare mentalmente: "Ti prego, Signore, di benedire questo cibo", e quindi lo restituii all'Anziano. Con un coltello lui ne tagliò la sommità e cominciò a sbucciarlo. Invece di ricadere all'indietro come fa la buccia delle banane, questa si arricciò intorno alla polpa, e a quel punto mi accorsi che tutti si erano voltati verso di me. Mi sentivo a disagio sotto lo sguardo di tutti quegli occhi scuri. Poi all'unisono, come se si fossero esercitati, esclamarono "Ah", ripetendolo ogni volta che l'Anziano attaccava un nuovo segmento di buccia. Non sapevo se quelle esclamazioni indicassero approvazione o biasimo, ma mi parve di intuire che abitualmente la buccia non si arricciava in quel modo e che, qualunque fosse il significato della prova, avevo segnato un punto a mio vantaggio.

Una giovane donna mi si avvicinò quindi con un vassoio pieno di ciottoli. Credo, in effetti, che si trattasse di un pezzo di cartone più che di un vassoio, ma i sassi erano talmente tanti che non potei appurarlo con certezza. Ooota mi guardò con aria grave e mi disse: "Scegli un sasso. Scegli saggiamente. Esso ha il potere di salvarti la vita."

A dispetto del caldo, mi sentii accapponare la pelle e il mio stomaco, improvvisamente in subbuglio, sembrò urlare: "Che cosa significa? Il potere di salvarmi la vita!"

Guardai i sassi. Erano tutti uguali, semplici ciottoli grigi e rossi delle dimensioni di un nichelino e di un quarto di dollaro. Se almeno uno fosse stato più lucente, o mi

fosse parso speciale! Ma niente. Così fui costretta a finge-
re. Li esaminai attentamente e infine ne scelsi uno dei primi e lo sollevai con aria trionfante. Vedendo illuminarsi le
facce che mi circondavano, pensai con sollievo: "Ho preso il sasso giusto!"

Ma che cosa dovevo farne? Non potevo certo gettarlo
via e forse ferire i loro sentimenti. Per me quel sasso non
significava assolutamente nulla, mentre per loro sembrava essere importante. Non disponendo di tasche, me lo
infilai in mezzo al seno, l'unico posto a cui riuscii a pensare, e quasi subito me ne dimenticai.

Dopo, gli indigeni spensero il fuoco e, raccolte le loro
poche cose, si incamminarono nel deserto. I loro petti
scuri, seminudi, brillavano nella vivida luce del sole mentre si mettevano in marcia. A quanto pareva, l'incontro
era finito; niente colazione, niente premio! Ooota fu l'ultimo ad allontanarsi, e aveva già percorso parecchi metri
quando si voltò per dirmi: "Vieni. Ora ce ne andiamo."

"Dove?" domandai.

"Nella foresta."

"Ma dove siete diretti?"

"Attraverso l'Australia."

"Fantastico! E quanto tempo ci vorrà?"

"Più o meno tre intere lune."

"Sarebbe a dire che camminerete per tre mesi?"

"Sì, tre mesi, giorno più, giorno meno."

Sospirai profondamente, prima di rispondere: "Sembrerebbe divertente ma, capisci, io non posso venire. Oggi non è proprio la giornata giusta per partire. Ho un sacco di obblighi e responsabilità a cui far fronte. Affitto,
bollette e così via. Non mi sono organizzata per intra-
prendere un viaggio del genere. Forse ti riuscirà difficile
capirlo, ma io non sono australiana, sono americana. A
noi non è permesso recarci in un paese straniero e poi

scomparire. I vostri funzionari dell'immigrazione farebbero il diavolo a quattro, e il mio governo spedirebbe gli elicotteri a cercarmi. Magari un'altra volta, e con il dovuto preavviso, potrò unirmi a voi, ma non oggi. Oggi non posso proprio venire. No, oggi non è la giornata giusta."

Ooota sorrise. "È tutto a posto. Ciascuno conoscerà chi è necessario che conosca. La mia gente ha udito il tuo grido d'aiuto. Se qualcuno della tribù avesse votato contro di te, questo viaggio non sarebbe stato intrapreso. Sei stata esaminata e accettata, onore supremo che però io non posso spiegarti. Ma è un'esperienza che devi vivere, la cosa più importante che potrai fare in questa vita: perciò sei nata! La divina interezza si è messa all'opera; questo è il tuo messaggio e io non posso dirti di più. Vieni. Seguici." Si voltò e si allontanò.

Rimasi lì, a contemplare il deserto australiano. Era vasto e desolato e tuttavia bellissimo e, proprio come le batterie Energizer, sembrava continuare all'infinito. La jeep era lì, con la chiavetta d'accensione inserita. Ma da quale parte eravamo arrivati? Nelle ultime ore non avevamo viaggiato su strada, e mi sembrava che non avessimo fatto altro che cambiare continuamente direzione. Non avevo scarpe, né acqua né cibo. In quel periodo dell'anno la temperatura nel deserto oscillava fra i trentotto e i cinquantaquattro gradi. Ero lieta che la tribù mi avesse accettata, ma perché non era stato chiesto anche il mio voto? Avevo la netta sensazione che la decisione non fosse stata neppure per un istante nelle mie mani.

Non volevo andare. Mi stavano chiedendo di affidare loro la mia vita, ma li avevo appena conosciuti, e non eravamo nemmeno in grado di comunicare! E se avessi perso il mio impiego? Non era già abbastanza grave che non potessi contare neppure su una liquidazione? No, era follia! Naturalmente non potevo andare!

Pensai: *Scommetto che la cerimonia è divisa in due parti. Cominciano i loro giochetti qui nella capanna, e li proseguono nel deserto. Non andranno lontano. Non hanno cibo con loro. La cosa peggiore che può capitarmi è di passare la notte all'aperto. Ma no, basterà che mi diano un'occhiata e capiranno che non sono un tipo da campeggio, che sono cittadina dalla punta dei piedi alla cima dei capelli! Saprò farmi valere, se necessario. Mi limiterò a spiegare che ho già pagato la camera e che devo rientrare entro domattina. Non ho nessuna intenzione di pagare un giorno in più solo per compiacere questo branco di primitivi.*

Intanto il gruppo diventava sempre più piccolo all'orizzonte. Non c'era il tempo di soppesare con cura i pro e i contro, com'ero solita fare. Più a lungo avessi indugiato a pensare al da farsi, più loro si sarebbero allontanati. Le parole che pronunciai sono rimaste impresse nella mia mente come se fossero incise nel legno. "Okay, Dio. Ho sempre saputo che hai un senso dell'umorismo tutto particolare, ma questa proprio non la capisco!"

Animata da un turbinio di emozioni che, rapide come una pallina da ping pong, andavano dalla paura allo sbalordimento, all'incredulità e al più totale obnubilamento, mi misi a seguire la Vera Gente, come quella tribù di aborigeni chiama se stessa.

Non ero legata né imbavagliata, ma mi sentivo ugualmente prigioniera. Ai miei occhi, ero la vittima destinata a una marcia forzata nell'ignoto.

Calzature naturali

*A*vevo percorso solo un breve tragitto quando avvertii delle fitte dolorosissime ai piedi, e abbassando gli occhi vidi delle spine sporgere dalla pelle. Le estrassi, ma a ogni passo altre se ne conficcavano nella carne. Cercai di saltellare su un piede solo e contemporaneamente di sfilare le più dolorose dall'altro, e certo dovetti sembrare molto comica ai membri della tribù che si voltarono a guardarmi, perché i loro sorrisi si tramutarono in veri e propri sogghigni. Ooota, che si era fermato ad aspettarmi, si dimostrò un po'più comprensivo.

"Dimentica il dolore. Toglierai le spine quando ci saremo accampati. Impara a sopportare. Focalizza la tua attenzione su altre cose. Più tardi ci prenderemo cura dei tuoi piedi. Non c'è nulla che tu possa fare al momento."

Furono soprattutto le parole *Focalizza la tua attenzione su altre cose* a colpirmi. Avevo lavorato con centinaia di persone sofferenti, soprattutto negli ultimi quindici anni, mentre mi specializzavo nell'uso dell'agopuntura. Succede spesso che gli ammalati terminali si trovino a dover decidere tra un farmaco che li sprofonderà nell'incoscienza e l'agopuntura, e quelle stesse parole erano comprese nel programma educativo che svolgevo a domicilio. Avevo sempre dato per scontato che i miei pazienti fossero in grado di dimenticare il dolore concentrandosi su qualcos'altro, ed ecco che ora qualcuno pretendeva lo stesso da me. Era più facile dirlo che farlo, ma in qualche modo riuscii nel mio intento.

Dopo un po' ci fermammo a riposare un istante e mi accorsi che quasi tutte le spine si erano spezzate; i frammenti rimasti nella pelle erano penetrati in profondità e i tagli sanguinavano. Stavamo procedendo su un tappeto di *spinifex*, nome scientifico dello sparto pungente, un'erba che cresce tra la sabbia capace di sopravvivere anche nelle zone aride, sviluppando fili arrotolati e taglienti come lame di coltello. Di fatto, la definizione di "erba" è ingannevole, dato che lo *spinifex* non assomiglia a nessuna delle erbe più conosciute. I suoi steli non sono soltanto maledettamente taglienti, ma muniti di spine simili a quelle del cactus che, penetrando nella carne, provocano gonfiore e una sgradevole irritazione. Fortunatamente, sono una persona a cui non dispiace la vita all'aperto e che ama camminare a piedi nudi, ma certo le piante dei miei piedi non erano neppure lontanamente preparate a quella tortura. Il dolore non mi dava tregua, benché cercassi di concentrare su altre cose la mia attenzione. Ormai non riuscivo nemmeno più a distinguere il rosso dello smalto dal sangue che mi rigava i piedi, e alla fine le mie estremità diventarono completamente insensibili.

A rendere tutto ancora più strano, camminavamo in un silenzio totale. La sabbia era calda, ma non bollente. Il sole bruciava, ma non in modo intollerabile. Di tanto in tanto il mondo sembrava avere pietà di me, e mi elargiva una breve folata di aria più fresca. Quando guardavo davanti a me, non distinguevo nessuna netta linea di divisione fra cielo e terra, quasi fossi finita in un acquerello in cui il cielo si fondeva con la sabbia. La parte scientifica della mia mente avrebbe voluto placare quella sensazione di vuoto infinito con una bussola. Parecchie centinaia di metri più in alto, una formazione di nubi faceva sì che l'unico albero visibile all'orizzonte sembrasse una *i* sormontata dal puntino. L'unico rumore era lo scricchiolio dei piedi sulla sabbia, come se delle strisce di velcro venissero continuamente unite e poi staccate. A rompere la monotonia interveniva di tanto in tanto il fruscio di qualche animale del deserto che si muoveva fra i cespugli. Dal nulla comparve un grande falco marrone che cominciò a scendere verso di me tracciando ampi cerchi nell'aria. Sembrava quasi che volesse controllare come procedevo, perché non degnò gli altri della minima attenzione. Ma è un fatto che il mio aspetto era totalmente diverso da quello dei miei compagni, e forse era stato proprio questo a spingerlo a un'ispezione più ravvicinata.

Senza alcun preavviso, la colonna dei marciatori smise di avanzare in linea retta e deviò tracciando un angolo. La cosa mi sorprese perché non avevo sentito nessuno dire di cambiare direzione. Era come se tutti tranne me lo avessero intuito. Forse, mi dissi, stavano seguendo una pista già percorsa, ma era anche troppo evidente che tra sabbia e *spinifex* non era tracciato alcun sentiero. Stavamo semplicemente vagabondando nel deserto.

Una ridda di pensieri mi affollava la mente e in quel silenzio mi sembrava di vederli svolazzare da un interrogativo a un altro.

Tutto questo sta realmente accadendo? O è soltanto un sogno? Hanno detto che avrebbero camminato attraverso l'Australia, ma non è possibile! Camminare per mesi! Non è neppure ragionevole. Hanno udito il mio grido d'aiuto. Ma che significa? E sostengono che sono nata per questo! Quante sciocchezze. Soffrire esplorando l'Outback non era esattamente l'aspirazione della mia vita. E naturalmente non potevo fare a meno di pensare alle ansie che la mia scomparsa avrebbe procurato ai miei figli, in particolar modo a mia figlia. Eravamo molto unite. Pensai anche all'imponente matrona che mi aveva affittato la casa. Certo, se non avessi pagato l'affitto in tempo, lei avrebbe messo una parola buona per me con gli altri proprietari. Solo la settimana prima avevo noleggiato un televisore e un videoregistratore. Ebbene, riprenderne possesso sarebbe stato fantastico!

A quel punto, infatti, ero ancora sicura che la marcia non sarebbe durata più di un giorno. Dopotutto, non avevamo con noi nulla da mangiare né da bere.

Risi forte. Uno scherzo privato. Quante volte avevo ripetuto che mi sarebbe piaciuto vincere uno di quei viaggi esotici *tutto compreso*! Ebbene, il mio desiderio era stato esaudito. Non avevo dovuto neppure portarmi dietro lo spazzolino da denti o un cambio d'abito. Certo, non era esattamente il viaggio che avevo sognato, ma senza dubbio avevo espresso più volte un simile desiderio.

A mano a mano che le ore passavano, le condizioni dei miei piedi peggiorarono al punto che il gonfiore, il sangue raggrumato e i tagli finirono col tramutarli in due appendici insensibili, livide e terribilmente brutte. Mi sentivo le gambe rigide e le spalle in fiamme, avevo il viso e le braccia caldissimi e arrossati. Quel giorno camminammo per circa tre ore, e la mia capacità di sopportazione venne messa a dura prova più di una volta. In certi momenti avevo la netta sensazione che se non mi fossi seduta al più presto sarei miseramente crollata a terra. Ma sempre interveniva qualcosa a distogliere la mia attenzione. Il falco che lanciava il suo strano grido sopra la mia testa, o qualcuno che si avvicinava per offrirmi dell'acqua dal bizzarro recipiente che molti portavano legato intorno al collo o alla vita. Come per miracolo, ogni distrazione pareva mettermi le ali, infondermi nuove forze, nuove energie. Finalmente arrivò il momento di accamparsi per la notte.

Tutti cominciarono subito a darsi da fare. Venne acceso un fuoco, non con i fiammiferi ma con un metodo che ricordai di avere letto nel manuale delle Girl Scout. Personalmente, non avevo mai provato a far ruotare un bastoncino in un legno cavo per accendere un fuoco, e neppure le nostre caposquadra erano mai arrivate a tanto. Loro a malapena riuscivano a riscaldare il bastoncino quanto bastava per dar vita a una minuscola fiammella che, a soffiarci sopra, si spegneva all'istante. Questa gente, invece, era esperta. Alcuni raccolsero legna e piante. Durante la marcia, avevo notato due uomini che si dividevano un carico, una specie di borsa ricavata da un panno dal colore indefinibile drappeggiato sulle lance. La borsa era gonfia, come se contenesse delle enormi biglie, e quando fu posata a terra ne vennero fuori parecchi oggetti.

Una donna molto vecchia venne verso di me. Calcolai che avesse più o meno l'età di mia nonna, che aveva superato i novanta. Aveva i capelli bianchi come neve e il viso pieno di rughe. Il suo corpo era snello, sodo e flessuoso, ma i piedi erano deformati al punto da assomigliare a zoccoli di animali. L'avevo già notata prima per via dell'elaborata collana e dei braccialetti che portava alle caviglie. Prese una piccola borsa di pelle di serpente che teneva fissata in vita e si versò nel palmo della mano qualcosa che assomigliava a vaselina chiarissima. Seppi poi che era una miscela ricavata dagli oli di varie foglie. Indicò i miei piedi, e io annuii per farle capire che ero lieta del suo aiuto. Mi si sedette di fronte, si mise i miei piedi in grembo e mentre faceva penetrare il linimento intonò una canzone. Era una melodia lenta e rilassante, simile alle ninne-nanne che le madri inventano per i loro bambini. Chiesi a Ooota di tradurmi le parole.

"Si sta scusando con i tuoi piedi. Spiega quanto tu sia lo-

~ 39 ~

ro grata. Esprime la riconoscenza di tutti i membri del grup-
po e chiede ai tuoi piedi di guarire e di rafforzarsi. Emette
suoni speciali destinati a sanare le ferite e i tagli, e modula
altri suoni per estrarre il liquido dalle vesciche. Prega i tuoi
piedi di diventare forti e resistenti."

Non era frutto della mia immaginazione. Il bruciore e l'irritazione si stavano già attenuando.

Mentre me ne stavo lì seduta, con i piedi in un grembo di nonna, cominciai a mettere in dubbio la veridicità di quanto era accaduto quel giorno. Com'era successo? E dove era cominciato tutto?

Pronti, via

Tutto ebbe inizio a Kansas City, e il ricordo di quella mattina è impresso in modo indelebile nella mia mente. Dopo parecchi giorni di tempo grigio, il sole aveva finalmente deciso di onorarci della sua presenza; io ero andata in studio presto per stilare i programmi destinati ai pazienti con necessità particolari. La receptionist non sarebbe arrivata prima di due ore e io non mancavo mai di apprezzare quel momento di tranquillità che mi consentiva di organizzare la giornata.

Stavo aprendo la porta quando sentii il telefono squillare. Un'emergenza, forse? Chi mai poteva chiamare con tanto anticipo sull'orario di apertura? Mi precipitai nel mio studio e con una mano afferrai il ricevitore mentre con l'altra premevo l'interruttore della luce.

Un'eccitata voce maschile mi salutò. Era un australiano che avevo conosciuto a un congresso medico in California. Chiamava dall'Australia.

"Ciao. Ti piacerebbe venire a lavorare in Australia per qualche anno?"

Ero così stupita che quasi lasciai cadere il ricevitore.

"Sei ancora lì?" fece lui.

"Ssì, ssì," balbettai. "Che cosa hai in mente, di preciso?"

"Sono rimasto talmente impressionato dal tuo programma di prevenzione medica che ne ho parlato con i miei colleghi. Sono stati loro a chiedermi di telefonarti. Ci piacerebbe che tu cercassi di ottenere un visto per cinque anni e venissi qui. Potresti preparare del materiale scritto e insegnare nell'ambito del nostro programma di previdenza sociale. Non sai quanto speriamo di vederlo operativo, e tu avresti l'opportunità di vivere in un paese straniero per qualche anno."

Il suggerimento di lasciare la mia casa sul lago, uno studio medico ben avviato e i pazienti, che nel corso degli anni erano diventati ottimi amici, minava alla base il mio senso di sicurezza; mi sentivo più o meno come deve sentirsi un chiodo quando viene conficcato in un'asse. Ero certamente curiosa di saperne di più sulla medicina sociale, che elimina il profitto dal sistema sanitario e in cui si attua un discorso di collaborazione destinato a varcare l'abisso che da noi separa la medicina tradizionale da quella alternativa. Avrei trovato dei colleghi autenticamente impegnati nel loro lavoro di assistenza, senza pregiudizi sulle forme che questa poteva assumere, o mi sarei trovata coinvolta in una nuova forma di manipolazione negativa, simile a quella in corso in America?

Ma a riempirmi d'eccitazione era soprattutto l'Australia. Per quanto ricordavo, fin dall'infanzia avevo divorato tutti i libri che parlavano degli antipodi su cui riuscivo a mettere le mani. Sfortunatamente, non erano molti. Allo zoo, smaniavo sempre per vedere il canguro o un koala, un'opportunità rara. A un qualche misterioso livello, la mia era una ricerca che avevo sempre sognato di condurre a termine. Ero una donna sicura di sé, colta, autosufficiente, e per quanto ricordavo avevo sempre provato una sorta di bramosia nel mio animo, uno struggimento nel mio cuore, per visitare quella terra all'estremità del globo.

"Pensaci," mi esortò il mio amico australiano. "Ti richiamo fra una quindicina di giorni."

Quando si parla di tempismo! Solo due settimane prima, mia figlia e il suo fidanzato avevano fissato la data delle nozze. Il che significava che, per la prima volta nella mia vita da adulta, ero libera di trasferirmi in qualsiasi luogo della terra scegliessi e di fare qualunque cosa desiderassi. Sapevo che, come sempre, i miei figli si sarebbero dimostrati solidali; dopo il divorzio erano diventati per me due amici molto cari, e adesso che erano entrambi adulti con una vita loro io avevo la possibilità di trasformare in realtà un sogno.

Sei settimane più tardi, celebrato il matrimonio e affidato ad altre mani il mio studio, fui accompagnata in aeroporto da mia figlia e da una cara amica. Provavo una strana sensazione. Per la prima volta in tanti anni non possedevo più una macchina né una casa, e neppure un mazzo di chiavi. Mi ero infatti liberata di tutti i miei beni terreni, fatta eccezione per pochi oggetti affidati a un magazzino, mentre i cimeli di famiglia erano al sicuro nelle mani di mia sorella Patci. La mia amica Jana mi tese un libro, poi ci abbracciammo. Mia figlia Carri scattò un'ultima foto, quindi le lasciai e discesi la rampa, pronta per la mia avventura agli antipodi. Nulla però mi aveva preparata alla grandezza delle lezioni che vi avrei ricevuto. Mia madre era solita dirmi: "Scegli con saggezza, perché potresti ottenere quello che chiedi." Sebbene lei fosse morta ormai da anni, solo quel giorno mi parve di cominciare a capire il significato di quell'ammonizione tanto spesso ripetuta.

Il viaggio dal Midwest all'Australia è incredibilmente lungo, ma fortunatamente per i passeggeri anche i jet più grossi hanno bisogno di fermarsi a fare rifornimento di tanto in tanto, e così ci fu permesso di respirare una boccata d'aria fresca prima alle Hawaii e quindi alle Fiji. Il jet della Quantas era ampio e comodo e i film in programmazione recentissimi. Eppure, mi sembrava che il volo non finisse mai.

L'Australia ha una differenza di diciassette ore (in avanti) rispetto agli Stati Uniti, il che equivale a volare letteralmente nel domani. Durante il viaggio, riflettei sul fatto che tutti i passeggeri di quel volo sapevano con certezza che l'indomani il mondo sarebbe stato ancora intatto e funzionante... perché era già domani nel continente verso cui ci dirigevamo. Non c'è da meravigliarsi se gli antichi marinai festeggiavano con tanto entusiasmo l'attraversamento dell'Equatore, e la linea immaginaria tracciata sul mare che segna l'inizio del tempo. Ancora adesso un simile concetto ha il potere di aprire nuovi orizzonti alla mente.

Al momento dell'atterraggio, cabina e passeggeri vennero spruzzati con del disinfettante, un bizzarro rituale a cui l'agenzia di viaggi non mi aveva preparata. Ci venne detto di restare seduti e due membri dell'equipaggio di terra percorsero l'aereo per tutta la sua lunghezza, spruzzando il contenuto di alcune lattine sopra le nostre teste. Capivo le ragioni degli australiani, ma per un certo verso trovavo demoralizzante che il mio corpo venisse paragonato a un insetto nocivo.

Che accoglienza!

Fuori dell'aeroporto mi si parò davanti una scena del tutto familiare. Avrei potuto benissimo trovarmi ancora negli Stati Uniti, non fosse stato per il fatto che il traffico procedeva in senso contrario. Il volante del taxi su cui salii era posizionato a destra. Il conducente mi consigliò di sostare a un ufficio di cambio dove acquistai banconote troppo grosse per trovare posto nel mio portafoglio americano, ma molto più colorate e decorative dei nostri dollari, e dove scoprii delle meravigliose monetine da due e da venti cent.

Nei giorni successivi scoprii che riuscivo ad adattarmi senza difficoltà alla realtà australiana. Le città principali si trovavano sulla costa, e tutti lì erano appassionati di sport acquatici e di vita di spiaggia. Il continente ha più o meno la stessa estensione degli Stati Uniti e anche una forma molto simile, ma il suo entroterra è desertico e scarsamente abitato. Avevo visitato il nostro Deserto Dipinto e la Valle della Morte, ma agli australiani riesce spesso difficile immaginare l'esistenza nel nostro paese di un cuore dove crescono il grano e sterminati campi di granturco. Il loro entroterra è infatti così ostile alla vita umana che il Royal Flying Doctor Service è in servizio ventiquattr'ore su ventiquattro. I piloti vengono addirittura utilizzati per rifornire di benzina o di pezzi di ricambio gli automobilisti in panne. Gli ammalati vengono trasportati nei centri urbani in aereo, perché per centinaia e centinaia di chilometri non esistono ospedali. Perfino il sistema scolastico prevede programmi trasmessi via radio, destinati ai ragazzi che vivono nelle regioni più isolate.

Trovai le città modernissime, piene di *Hilton*, *Holiday Inn* e *Ramada Hotels*, di centri commerciali, di abiti firmati e di velocissimi mezzi di trasporto. La cucina, naturalmente, era diversa. A mio avviso, gli australiani non hanno ancora imparato a cucinare in modo soddisfacente i piatti americani più popolari, ma assaggiai dei pasticci di carne e puré che non avevano nulla da invidiare a quelli che avevo gustato in Inghilterra. Di rado servivano acqua ai pasti, e mai con il ghiaccio.

Ma è un popolo che mi piace, così come mi piacciono alcune loro espressioni:

"Fair Dinkum" – okay o proprio così
"chook" – pollo
"chips" – patatine fritte

"shiela" – ragazza
"lolly" – caramella, leccalecca
"sweets" – dessert
"bush" per indicare una regione selvaggia
"tinny" – lattina di birra
"joey" – piccolo di canguro
"biscuit" – biscotto
"swag" – sacco a pelo o zaino
"walkabout" – andarsene per un periodo imprecisato
"having a crook day" – avere una brutta giornata
"tucker" – cibo
"footpath" – marciapiede
"billibong" – pozza d'acqua per abbeverarsi
"boot" – bagagliaio di auto
"bonnet" – cofano
"serviette" – tovagliolo

Un'altra stranezza era che nei negozi ti ringraziavano ancor prima di dirti *per favore*. "Fa un dollaro, grazie," è la frase abituale dei commessi.

La birra è una specie di tesoro nazionale. Personalmente non l'ho mai amata troppo, e di conseguenza non ho assaggiato tutte le varietà di cui gli australiani vanno tanto orgogliosi. Non c'è stato che non abbia la sua fabbrica di birra, e i bevitori sviluppano uno spiccato senso di lealtà verso la loro marca preferita, che sia la Foster Lager o la Four X.

Gli australiani hanno anche termini specifici per indicare le diverse nazionalità. Si riferiscono spesso agli americani come agli *Yanks*, un neozelandese è un *Kiwi* e gli inglesi sono *Bloody Poms*. Un'autorità mi spiegò che quel "pom" si riferiva alle piume rosse esibite un tempo dai soldati europei, ma qualcun altro mi disse che derivava dalle iniziali P.O.M. sugli indumenti dei galeotti spediti in

Australia nel diciannovesimo secolo e che significavavano Prisoner of His Majesty (prigionieri di Sua Maestà).

Delle tante cose che apprezzo negli australiani, quella che amo di più è la cadenza cantilenante della loro parlata. Ovviamente, per loro ero io a parlare con un accento troppo marcato. Sono inoltre molto cordiali, capaci di far sentire gli stranieri a proprio agio e ben accetti.

I primi giorni cambiai spesso albergo. Ogni volta che mi registravo, qualcuno mi tendeva una piccola brocca di metallo piena di latte. Era, notai, un'attenzione riservata a tutti gli ospiti. In camera trovavo sempre un bollitore elettrico, bustine di tè e zucchero. A quanto pare, gli australiani amano il tè con latte e zucchero, e non mi ci volle molto tempo per scoprire che in nessun modo sarei riuscita a ottenere una tazza di caffè americano.

La prima volta che scesi in un motel, l'anziano proprietario mi chiese se volessi ordinare la prima colazione, e al mio cenno d'assenso mi porse un menù scritto a mano. Mi domandò poi a che ora la volessi e mi informò che mi sarebbe stata servita in camera. Il mattino seguente stavo facendo il bagno, quando udii dei passi fermarsi davanti alla mia porta. Mi aspettavo che qualcuno bussasse, invece sentii uno strano tonfo, simile a quello di una porta che sbatte. Mentre mi asciugavo, cominciai a sentire profumo di cibo, ma mi guardai intorno e non vidi nulla. Decisi perciò che il profumino doveva arrivare dalla stanza accanto.

Dedicai un'ora a prepararmi per la giornata e a rifare la valigia. Mi stavo accingendo a caricare i bagagli sull'auto a noleggio, quando mi si avvicinò un ragazzo.

"Salve, le è piaciuta la colazione?" mi chiese.

Io sorrisi. "Dev'esserci stata un po' di confusione. Non mi è stata portata."

"Oh sì, invece, è proprio qui. Gliel'ho portata io stesso," obiettò lui, e allungata la mano verso un pomolo che sporgeva dal muro esterno della stanza lo sollevò. All'interno c'era un piccolo scomparto in cui faceva bella mostra di sé un piatto di uova strapazzate, deliziosamente guarnite e ormai dure come il marmo. Poi il ragazzo entrò in camera, e aperta l'anta di un armadio mi mostrò nuovamente le uova. Scoppiammo a ridere. Il mio naso non mi aveva ingannato, ma non ero riuscita a localizzare la mia colazione. Quella fu una delle molte sorprese che l'Australia aveva in serbo per me.

Gli australiani furono addirittura servizievoli nell'aiutarmi a trovare una casa da affittare. La trovai in un sobborgo ben tenuto dove le case, costruite più o meno nella stessa epoca, erano tutte bianche e a un piano, con verande anteriori e laterali. Il bagno aveva vasca e lavabo in una stanza, in un'altra più piccola il water. Non c'erano armadi a muro, ma mi vennero forniti degli antiquati armadi in legno. Nessuna delle mie apparecchiature elettriche americane funzionava. Lì il voltaggio è diverso e anche le prese hanno una forma differente. Fui costretta quindi a ricomperare phon e ferro arricciacapelli. Il cortile posteriore traboccava di alberi e fiori esotici che, a causa del clima, fioriscono tutto l'anno. Di notte vi si radunavano i rospi, attirati dal profumo delle foglie, e il loro numero sembrava aumentare di mese in mese. La ragione era semplice: a causa del loro incontrollato proliferare, i rospi sono diventati un problema nazionale, e periodicamente molti esemplari devono essere uccisi in modo da mantenere la popolazione complessiva su livelli accettabili. Apparentemente, il mio cortile era divenuto per loro un rifugio sicuro.

Gli australiani mi iniziarono al boowling su prato, uno sport in cui tutti i giocatori vestono di bianco. Poiché mi era capitato di passare davanti a negozi che non vendevano altro che gonne e magliette bianche, pantaloncini bianchi, calze e scarpe bianche, e perfino berretti bianchi, fui lieta di scoprire finalmente il motivo di quella monotonia. Mi portarono anche a una partita di football giocata secondo le regole australiane. Il football è uno sport decisamente duro, e fino a quel momento tutti i calciatori che avevo visto erano protetti da pesanti imbottiture e caschi. Questi invece indossavano calzoncini corti, magliette anch'esse a maniche corte e nessun tipo di imbottitura. Sulla spiaggia notai alcuni uomini con dei berretti di gomma legati sotto il mento. Scoprii che erano il segno distintivo dei bagnini. In Australia esistono anche speciali pattuglie di bagnini antisqualo. Non capita certo tutti i giorni che qualcuno venga divorato da un pescecane, ma quei grossi predatori del mare costituiscono comunque un problema tale da giustificare l'utilizzo di personale addestrato.

L'Australia è il continente più piatto e arido del mondo. Le montagne che si ergono a ridosso delle coste fanno sì che buona parte delle precipitazioni si spostino in direzione del mare, lasciando il novanta per cento del paese in condizioni semidesertiche. È possibile percorrere in aereo gli oltre tremila chilometri che separano Sidney da Perth senza vedere insediamenti urbani.

A causa del programma sanitario a cui partecipavo, ebbi occasione di visitare tutti i principali centri del continente. In America, disponevo di uno speciale microscopio da utilizzare per l'esame del sangue intero, ossia non modificato né scisso. Tramite l'esame di una sola goccia di sangue intero, è possibile individuare graficamente molti aspetti della chimica del paziente. Il microscopio veniva collegato a una telecamera e a un monitor e, seduti vicini, paziente e medico studiavano i globuli rossi, i globuli bianchi, i batteri o il grasso. Spesso prendevo un campione da mostrare al paziente e, se era un fumatore, gli chiedevo di uscire a fumare una sigaretta. Di lì a poco prelevavo un altro campione per individuare gli effetti provocati da quell'unica sigaretta. È un modo molto efficace per responsabilizzare il soggetto e si può utilizzare in molte situazioni, mostrandogli per esempio la percentuale di grasso presente nel suo sangue o evidenziando una scarsa reazione immunitaria, per poi passare a spiegargli quello che può fare per migliorare il proprio stato di salute. Negli Stati Uniti, tuttavia, le compagnie di assicurazione non coprono i costi degli interventi preventivi, e tocca ai pazienti sborsare di tasca propria il denaro necessario. La nostra speranza era che il sistema sanitario australiano si rivelasse più ricettivo. I miei compiti comprendevano l'illustrazione delle tecniche, l'ordinazione delle attrezzature, la stesura dei manuali di istruzioni e l'insegnamento pratico. Era un programma di grande utilità, e il mio soggiorno agli Antipodi mi dava grandi soddisfazioni.

Un sabato pomeriggio andai a visitare il Museo della Scienza. La guida era una donna robusta, vestita con eleganza e molto interessata a saperne di più sull'America. A furia di chiacchierare diventammo buone amiche, e un giorno che dovevamo pranzare insieme, lei suggerì una stravagante sala da tè in centro, dove alcuni indovini predicevano il futuro. Ricordo che mentre l'aspettavo mi chiedevo perché io, una maniaca della puntualità, finissi invariabilmente per attirare dei ritardatari congeniti. L'ora di chiusura era ormai vicina e a quel punto ero certa che la mia amica non si sarebbe fatta vedere. Mi chinai per recuperare la borsa che quarantacinque minuti prima avevo posato sul pavimento.

Un uomo giovane, alto, snello e dalla carnagione scura, vestito interamente di bianco dai sandali al turbante, si avvicinò al mio tavolo.

"Adesso ho tempo di leggerle la mano," annunciò con voce sommessa.

"Oh, stavo semplicemente aspettando un'amica," mi schermii io. "Ma a quanto pare non ce l'ha fatta. Tornerò un altro giorno."

"A volte è meglio così," osservò lui mentre si sedeva. Prese la mia mano tra le sue, la girò a palmo in su e iniziò. Sconcertata, notai che non guardava la mia mano, bensì i miei occhi.

"Il motivo per cui lei è venuta qui – non mi riferisco a questo locale ma all'Australia – è il destino. C'è qualcuno qui con cui lei ha concordato di incontrarsi nell'interesse di entrambi. L'accordo è stato concluso prima che voi due nasceste. Anzi, siete stati selezionati per nascere nello stesso momento, uno a un capo del mondo e l'altro qui, agli Antipodi. Il patto è stato stretto ai livelli più alti del vostro Io eterno. Avete acconsentito a non cercarvi fino al compimento dei cinquant'anni, ma ora il momento è venuto. Quando vi incontrerete, le vostre anime si riconosceranno all'istante. Questo è tutto ciò che posso dirle."

Poi si alzò e sparì attraverso la porta che, ipotizzai, dava sulla cucina. Io ero sbigottita. Nulla di quanto mi aveva detto sembrava avere il minimo senso, ma l'autorevolezza con cui aveva pronunciato quelle parole mi obbligava quasi a prenderle sul serio.

La situazione si complicò quando, quella sera, la mia amica telefonò per scusarsi e spiegare il motivo per cui era mancata all'appuntamento. Il racconto del mio colloquio con l'indovino la eccitò molto, e giurò che l'indomani sarebbe andata a cercarlo per interrogarlo sul proprio futuro.

Ma quando mi ritelefonò il suo entusiasmo aveva lasciato il posto al dubbio.

"In quella sala da tè non lavorano indovini di sesso maschile," disse. "Sono tutte donne, e il martedì è di turno una certa Rose, che però non legge la mano ma le carte. Sei sicura di essere andata nel locale giusto?"

Non ero certo pazza. Ho sempre considerato la lettura del futuro un puro divertimento, ma di una cosa ero più che sicura: quel giovane non era frutto della mia immaginazione. Che diamine, pensai poi, gli australiani sono comunque convinti che noi Yanks siamo tutti dei tipi strambi. In ogni caso, nessuno considera la chiaroveggenza più di un semplice divertimento, e l'Australia era piena di cose divertenti da fare.

Grandi speranze

C'era solo una cosa che non apprezzavo del paese che mi ospitava. Avevo l'impressione che i suoi abitanti originari, gli indigeni dalla pelle scura chiamati aborigeni, fossero ancora discriminati. Venivano, insomma, trattati più o meno come noi americani un tempo trattavamo i pellerossa. La terra che è stata loro assegnata nell'Outback non è che sabbia priva di valore, e l'area del territorio settentrionale è composta prevalentemente da boscaglie e scabre formazioni rocciose. L'unica regione relativamente fertile che, almeno nominalmente, appartiene loro è anche un parco nazionale, perciò sono costretti a dividerla con i turisti.

Non incontravo alcun aborigeno agli eventi sociali di una certa importanza, né vedevo i loro figli per strada con l'uniforme della scuola. Non c'erano alla funzione domenicale, benché mi fossi recata in parecchie chiese diverse. Non ne vedevo lavorare come commessi, o come impiegati degli uffici postali. Visitai gli uffici governativi e neppure lì trovai dipendenti aborigeni. Non ne trovai nelle stazioni di servizio né nei fast food. Sembrava che fossero in pochi, e quelli che vivevano in città si esibivano quasi tutti nei centri turistici. Capitava anche di vederli nei terreni da pascolo per bestiame e pecore dove lavoravano come braccianti, i cosiddetti *Jackaroos*. Qualcuno mi raccontò che, quando gli aborigeni uccidono una pecora, il proprietario del ranch non presenta alcuna denuncia. Gli indigeni infatti prendono soltanto ciò di cui hanno bisogno per sopravvivere, e sono temuti per i poteri soprannaturali che vengono loro attribuiti.

Una sera mi capitò di osservare un gruppo di giovani mezzosangue che inalavano vapori di benzina contenuta in lattine. Quasi subito cominciarono a dare segni di intossicazione. La benzina è infatti una miscela di idrocarburi e sostanze chimiche, e io conoscevo i danni che può arrecare al midollo osseo, al fegato, ai reni e alle ghiandole surrenali, al midollo spinale e all'intero sistema nervoso centrale. Ma come tutti coloro che si trovavano nella piazza quella sera non feci né dissi nulla. Non tentai in alcun modo di interrompere quel loro stupido gioco. Più tardi, seppi che uno di quei ragazzi era morto per intossicazione da piombo e insufficienza respiratoria. Mi sembrò di avere subito una grave perdita, quasi avessi sepolto un amico di vecchia data, e mi recai all'obitorio per un ultimo sguardo alle spoglie del giovane. Avevo dedicato la mia vita alla prevenzione, e sono sempre stata convinta che la perdita delle proprie radici culturali e la mancanza di uno scopo nella vita siano tra i principali fattori che spingono alcuni di noi a giocare con la morte. A turbarmi, era soprattutto il ricordo della mia passività; ero rimasta a osservare la scena senza alzare neppure un dito. Decisi di parlarne con il mio nuovo amico australiano Geoff, proprietario di un grande concessionario di automobili, mio coetaneo, scapolo e molto attraente; una sorta di Robert Redford australiano. Uscivamo spesso insieme, e una sera, durante una cena a lume di candela seguita a un concerto, gli chiesi se i suoi concittadini fossero consapevoli di quanto stava avvenendo. Non c'era nessuno che si sforzasse di modificare la situazione?

"Sì, è molto triste," replicò lui. "Ma non ci si può far nulla. Tu non capisci gli aborigeni. Sono selvaggi, primitivi. Ci siamo offerti di istruirli. I missionari hanno passato anni e anni a tentare di convertirli. In passato erano cannibali, e tuttora si rifiutano di abbandonare le loro usanze e le loro vecchie credenze. Molti scelgono addirittura la dura vita del deserto. L'Outback è una terra dura, ma loro sono il popolo più duro del mondo. Di rado quelli che cercano di barcamenarsi fra le due culture riescono a combinare qualcosa di buono. In realtà la loro razza si sta estinguendo per loro precisa volontà. Sono irrimediabilmente ignoranti, senza ambizioni né desiderio di successo. Dopo due secoli, ancora non si sono integrati e, quel che è più grave, non ci provano neppure. Sul lavoro sono inaffidabili... si comportano come se non avessero il senso del tempo. Credimi, non c'è proprio nulla che si possa fare per stimolarli."

Passarono alcuni giorni, ma continuai a pensare al ragazzo morto. Cominciai a esporre le mie preoccupazioni a una collega che, come me, si stava occupando di un progetto speciale.

Il suo lavoro, che consisteva nella classificazione delle piante selvatiche, delle erbe e dei fiori con proprietà medicamentose, la metteva spesso in contatto con gli aborigeni più anziani, che erano una vera autorità in materia. A dimostrarlo, bastavano la longevità della loro razza e la bassa incidenza di malattie degenerative. La mia collega mi confermò che molto poco era stato fatto per un'autentica integrazione razziale, ma si dichiarò disposta ad aiutarmi qualora avessi deciso di scoprire se e in quale modo potevo contribuire al raggiungimento di tale obiettivo.

Invitammo a una riunione ventidue giovani aborigeni mezzosangue. Dopo che la mia amica mi ebbe presentata, parlai del sistema governativo della libera impresa e di un'organizzazione denominata *Junior Achievement*, che si occupava di giovani urbanizzati in condizioni di indigenza. L'obiettivo consisteva nell'individuazione di un prodotto che il gruppo potesse fabbricare e lanciare sul mercato. Io stessa, assicurai, avrei insegnato loro le procedure per l'acquisto delle materie prime, come organizzare una forza di lavoro, come produrre l'articolo, veicolarlo sul mercato, fino alla creazione degli indispensabili rapporti con il mondo degli affari e le banche. I ragazzi mi ascoltarono con interesse.

Nella riunione successiva prendemmo in esame i vari progetti possibili. Quando ero piccola, i miei nonni vivevano nello Iowa. Rammentai come la nonna avesse applicato alle finestre a ghigliottina delle piccole zanzariere regolabili che poggiavano sul davanzale, creando un riquadro schermato di una trentina di centimetri. La casa in cui abitavo, una tipica abitazione dei sobborghi australiani, non era munita di zanzariere, e poiché l'aria condizionata non era diffusa nelle residenze private non c'era modo di garantire il ricambio d'aria e al contempo tener fuori gli insetti. Di zanzare non ce n'erano, ma tutti i giorni era guerra con le blatte volanti. Mi coricavo sola, ma spesso al mio risveglio mi accorgevo di dividere il cuscino con parecchi insetti neri dal carapace duro e lunghi almeno cinque centimetri. Una zanzariera, pensavo, avrebbe costituito un'efficace protezione contro quelle sgradite invasioni.

Il gruppo approvò la mia proposta e venne dato inizio ai lavori. Decisi di mettermi in contatto con una coppia di amici statunitensi che avrebbe potuto aiutarci. Lui lavorava come ingegnere progettista in una grande azienda, mentre lei era un'artista. Se fossi riuscita a spiegare loro per lettera che cosa mi serviva, sapevo che sarebbero stati in grado di mandarmi una cianografia. Arrivò infatti due settimane più tardi, e la mia cara zia Nola, dell'Iowa, si offrì di sovvenzionare l'acquisto del materiale necessario ad avviare la nostra impresa. A quel punto ci serviva un laboratorio e, poiché i garage sono rari in Australia mentre c'è abbondanza di tettoie per automobili, ne acquistammo una e lavorammo all'aperto.

Le competenze si ripartirono nel modo più naturale all'interno del gruppo, e ciascun giovane aborigeno scelse l'attività che più gli era congeniale. Avevamo un contabile, un responsabile degli acquisti e un addetto all'inventario di grande capacità. Avevamo specialisti per ogni settore della produzione, e persino alcuni soggetti dotati di un talento naturale per la vendita. Quanto a me, preferii tenermi un po' in disparte e non interferire nella formazione della nuova struttura aziendale. Molto presto, i ragazzi concordarono sul fatto che chi fra di loro aveva scelto di svolgere i lavori di pulizia e di portierato non era meno prezioso per il successo finale del progetto di chi si occupava della vendita finale. Avevamo deciso di offrire ai potenziali clienti l'uso gratuito delle nostre zanzariere per qualche giorno, poi ci sarebbero state pagate solo se giudicate soddisfacenti. Quasi sempre l'esperimento andava felicemente in porto e noi spuntavamo un ordine per tutte le finestre della casa. Ai ragazzi trasmisi anche la buona abitudine americana di sollecitare referenze.

Il tempo passava e le mie giornate, fra insegnamento, stesura dei testi, conferenze e viaggi, erano pienissime. Le serate, però, le dedicavo quasi tutte ai ragazzi di pelle scura. Il gruppo originario era rimasto intatto, ma poiché il conto in banca cresceva costantemente decidemmo di creare un fondo fiduciario per ciascuno di loro.

Un fine settimana parlai a Geoff di quella nuova iniziativa e del mio desiderio di aiutare i giovani aborigeni a raggiungere l'indipendenza economica. Forse non sarebbero mai stati assunti dalle grandi società, ma niente avrebbe impedito loro di acquistarne una, se avessero accumulato un capitale sufficiente. Probabilmente mi vantai un po' del ruolo che avevo avuto nella loro nuova presa di coscienza. Geoff si limitò a dire: "E buon per te, Yank". Ma al nostro appuntamento successivo mi portò dei libri di storia e io passai il sabato pomeriggio a leggere nel patio di casa sua, che si affacciava su uno dei porti naturali più belli del mondo.

Uno dei testi riportava le parole del reverendo George King, pubblicate dall'*Australian Sunday Times* il 16 dicembre 1923: "Gli aborigeni australiani occupano senza alcun dubbio un gradino piuttosto basso nella scala dell'evoluzione. Non possiedono alcuna affidabile documentazione storica sulle loro origini e le loro imprese né, se oggi venissero spazzati via dalla terra, lascerebbero una sola opera d'arte a testimonianza della loro esistenza in quanto razza. Tuttavia, sembra che abbiano vagabondato per le vaste pianure australiane fin da quando il mondo era molto giovane."

Una più recente citazione di John Burless riguardava l'atteggiamento dell'Australia bianca: "Ti darò qualcosa, ma tu non hai niente che io desideri."

In un brano stralciato dalla relazione *Ethnology and Anthropology* del quattordicesimo congresso dell'Australian and New Zealand Association for the Advancement of Science (Associazione australiana e neozelandese per la ricerca scientifica avanzata) sosteneva:

Il senso dell'olfatto è sottosviluppato.

Le capacità mnemoniche scarse.

Nei bambini si riscontra scarsa forza di volontà.

Sono inclini alla codardia e alla menzogna. Rispetto alle razze superiori, presentano una maggiore tolleranza al dolore.

Altri libri parlavano del rituale di iniziazione dei giovani aborigeni, nel corso del quale il pene viene inciso dallo scroto al meato con un coltello di pietra, senza l'impiego di alcun anestetico, e senza che i giovani palesino alcuna sofferenza. Il raggiungimento dell'età adulta è sancito da un'ulteriore serie di prove: uno dei denti anteriori dell'iniziando gli viene strappato con una pietra, il suo prepuzio servito a cena ai parenti maschi, quindi il giovane, terrorizzato e sanguinante, viene mandato nel deserto perché dia prova delle sue capacità di sopravvivenza. Quei libri sostenevano inoltre che gli aborigeni erano cannibali, e che a volte le donne divoravano i propri figli, mostrando una spiccata preferenza per le parti più tenere. Trovai anche un aneddoto riguardante due fratelli. Il più giovane aveva pugnalato il maggiore durante un litigio per via di una donna. Dopo essersi fatto amputare la gamba attaccata dalla cancrena, questi aveva accecato il fratello minore, quindi i due avevano vissuto felicemente insieme. Il maggiore si spostava utilizzando una protesi di ossa di canguro e faceva da guida all'altro che si aggrappava all'estremità di un lungo palo. Era un racconto truculento, ma a stupirmi di più fu un opuscolo governativo sulla chirurgia primitiva, in cui si affermava che la soglia del dolore degli aborigeni era meno che umana.

Ma i miei ragazzi non erano dei selvaggi; tutt'al più erano paragonabili ai giovani disadattati delle nostre città americane. Vivevano isolati all'interno della comunità urbana, e più della metà apparteneva a famiglie che campavano con il sussidio di disoccupazione. La mia impressione era che si fossero rassegnati a una vita fatta di Levi's di seconda mano e di birra calda, rischiarata solo dalla consapevolezza che, di tanto in tanto, uno di loro riusciva a farcela.

Il lunedì seguente, quando tornai da loro, mi resi conto di trovarmi davanti a un fenomeno sociale quanto mai insolito: un gruppo di individui che si sostenevano reciprocamente e ignoravano del tutto la competitività. Nulla del genere esisteva nel mio mondo, e per me si trattò di una scoperta straordinariamente stimolante.

Quando mi informai sulle origini dei miei giovani amici, mi fu risposto che l'appartenenza alla tribù aveva da tempo perso importanza. Solo alcuni ricordavano di aver sentito parlare dai nonni dell'epoca in cui gli aborigeni erano i soli abitanti del continente. Accennarono all'esistenza delle tribù dell'acqua salata e del popolo degli Emu, ma in tutta franchezza aggiunsero che non amavano che venisse loro ricordata la carnagione scura e ciò che essa rappresentava. Speravano di sposare ragazze dalla pelle più chiara e di avere dei figli che potessero integrarsi completamente con i bianchi.

La nostra impresa procedeva a gonfie vele, e non rimasi quindi sorpresa quando un giorno ricevetti una telefonata che mi invitava a una riunione organizzata da una tribù di aborigeni all'altro capo del paese. L'invito implicava chiaramente che non si trattava di una semplice riunione, ma della *mia* riunione. "La prego di organizzarsi in modo da poter partecipare," mi disse la voce indigena.

Acquistai abiti nuovi, un biglietto aereo di andata e ritorno e prenotai l'albergo. Quando informai le persone con cui lavoravo che mi sarei assentata per qualche tempo, non trascurai di spiegarne la singolare motivazione. Resi partecipi del mio entusiasmo Geoff, la mia padrona di casa e, per lettera, anche mia figlia. Consideravo un onore che persone che abitavano così lontano avessero saputo del nostro progetto e volessero esprimerci il loro apprezzamento.

"Le sarà messo a disposizione un mezzo di trasporto dall'hotel al luogo del raduno," mi era stato detto. Sarebbero venuti a prendermi a mezzogiorno, il che non poteva che significare una colazione con successiva consegna di un premio. Chissà che razza di menù avrebbero preparato!

Ebbene, Ooota era arrivato puntualissimo alle dodici, ma che cosa gli Aborigeni mi avrebbero dato da mangiare restava un mistero.

Il banchetto

L'incredibile mistura ottenuta scaldando le foglie ed estraendone i residui oleosi funzionava, e i miei piedi erano migliorati al punto da indurmi a credere che prima o poi sarei riuscita ad alzarmi di nuovo. Alla mia destra, un gruppo di donne aveva organizzato una sorta di catena di montaggio; alcune raccoglievano grosse foglie, mentre una frugava tra i cespugli e nelle cavità degli alberi morti con un lungo bastone, e una terza deponeva sulle foglie manciate di qualcosa che non riuscii a identificare. Quindi una seconda foglia veniva poggiata sulla prima e il tutto ripiegato più volte prima di essere consegnato all'ultima della fila, che correndo andava a seppellirlo tra le braci del falò. Ero piuttosto curiosa, dato che quello sarebbe stato il nostro primo pasto insieme, ma quando mi avvicinai zoppicando non riuscii a credere ai miei occhi. La mano chiusa a coppa era piena di grossi vermi bianchi che si dimenavano.

Mi sfuggì un lungo sospiro. Ormai avevo perso il conto delle volte in cui le abitudini dei miei compagni mi avevano lasciata senza parole, ma di una cosa ero certa: la fame non mi avrebbe mai indotta a mangiare un verme! Non mi rendevo conto, in quel momento, che stavo imparando un'altra lezione: mai dire *mai*. Da allora, infatti, è una parola che mi sono sforzata di eliminare dal mio vocabolario. Ora so che in ogni settore della vita ci sono cose che preferisco, e altre che tendo a evitare, ma la parola *mai* non lascia spazio a situazioni ancora non sperimentate, e *mai* equivale a un periodo molto, molto lungo.

Per la tribù, la sera era il momento più allegro della giornata. Si raccontavano storie, si ballava, si cantava, si giocava, si chiacchierava. Era un momento di condivisione totale. C'era sempre qualcosa da fare mentre si aspettava che la cena fosse pronta. Gli indigeni si massaggiavano a vicenda le spalle, la schiena e perfino il cuoio capelluto. Li vidi manipolare colli e spine dorsali. In seguito, insegnai loro le tecniche utilizzate in America per sciogliere i muscoli della schiena e le altre articolazioni, e in cambio mi vennero illustrate le loro.

Quel primo giorno, non vidi circolare né tazze, né piatti né tantomeno vassoi. Questo confermò la mia previsione: si sarebbe trattato di un pasto informale, qualcosa di simile a un picnic. Poco dopo le foglie che fungevano da pentole vennero estratte dai carboni. Quella destinata a me, notai, era maneggiata con la cura che un'infermiera riserverebbe a mansioni particolarmente delicate. Rimasi a osservare gli altri che aprivano le loro e ne mangiavano il contenuto con le dita. Il mio *banchetto* era caldo, e poiché all'interno non percepivo alcun movimento trovai il coraggio di guardarvi dentro. I vermi erano scomparsi, o perlomeno non sembravano più vermi. Si erano tramutati in uno strato bruno e croccante, simile nella consistenza alle noccioline arrostite o alla cotenna di maiale. Pensai: *Credo di potercela fare.* Ce la feci, infatti, e il sapore era ottimo! Allora non sapevo che la cottura, soprattutto se prolungata fino a rendere irriconoscibili gli alimenti, non era una pratica diffusa, e che i vermi erano stati cotti solo per una forma di riguardo nei miei confronti.

Quella sera appresi che la natura del mio lavoro con i

giovani aborigeni della città era risaputa. Nonostante quei ragazzi non fossero indigeni purosangue e neppure membri di quella tribù, il mio intervento dimostrava che avevo realmente a cuore il loro benessere. Quanto all'invito, era stato fatto perché, apparentemente, io avevo invocato aiuto. Avevano avuto modo di appurare che le mie intenzioni erano pure ma, mi spiegarono, il problema era che non comprendevo la cultura aborigena né tanto meno il codice proprio della loro tribù. In base alle prove a cui ero stata sottoposta, ero stata giudicata accettabile e degna di essere iniziata alla conoscenza delle autentiche relazioni fra gli umani e il mondo in cui vivono e quello che sta al di là di esso, la dimensione da cui siamo giunti e quella a cui tutti torneremo. Stava per essermi svelato il mio vero essere.

Mentre me ne stavo seduta, con i piedi ormai in via di guarigione avvolti nella preziosa quanto limitata provvista di foglie dei miei compagni, Ooota mi spiegò quale tremendo impegno costituisse quella marcia per questi nomadi del deserto. Mai prima di allora avevano frequentato né avevano stretto rapporti con un bianco. Anzi, li avevano sempre evitati. Tutte le altre tribù australiane, mi disse, si erano sottomesse alla legge dei bianchi e loro erano rimasti gli unici a tenere duro. Di solito viaggiavano in ristretti gruppi familiari composti da sei, dieci persone al massimo, ma per l'occasione avevano deciso di riunirsi.

Poi Ooota disse qualcosa agli altri, e tutti dissero qualcosa a me. Capii che erano i loro nomi. Il loro linguaggio mi riusciva ostico, ma fortunatamente ogni nome aveva un significato preciso. Diversamente dai nostri, infatti, i loro nomi sono facili da collegare agli individui che li portavano. Anch'essi ricevono un nome al momento della nascita, ma col passare degli anni quel primo nome diventa inevitabilmente superato, e arriva sempre il momento in cui l'individuo se ne sceglie autonomamente uno più appropriato. È auspicabile, anzi, che ne cambi parecchi nell'arco della sua esistenza, a mano a mano che cresce in saggezza, creatività e determinazione. Nel nostro gruppo c'era, fra gli altri, chi si chiamava Narratore di Storie, Fabbricatore di Utensili, Custode di Segreti, Maestra di Cucito e Grande Musica.

In ultimo Ooota si rivolse a ciascun compagno e, indicandomi, pronunciò ripetutamente la stessa parola. Pensai che cercassero di pronunciare il mio nome di battesimo, per poi ripiegare sul cognome, ma mi sbagliavo. La parola che scelsero quella notte, il nome che mi accompagnò per tutto il resto del viaggio, era Mutante. Non riuscivo a capire perché Ooota, che era il portavoce, insegnasse loro un termine tanto bizzarro. La parola mutante per me significava qualcosa che aveva subito un profondo cambiamento della sua struttura di base e che quindi non era più simile a ciò che originariamente era. Non che me ne importasse molto: a quel punto tutta quella giornata, e tutta la mia vita, erano sprofondate nella confusione più totale.

Ooota disse che alcune tribù aborigene usavano al massimo otto nomi soltanto. Agli appartenenti alla stessa generazione e allo stesso sesso venivano attribuite le stesse relazioni parentali, cosicché ciascuno aveva un gran numero di madri, padri, fratelli ecc.

Con l'approssimarsi del buio, mi informai sui metodi accettabili per compiere le normali funzioni fisiologiche, e quasi subito rimpiansi di non aver prestato più attenzione a Zuke, il gatto di mia figlia, perché scoprii che di metodo ce n'era uno solo: ci si inoltrava nel deserto, si scavava una buca nella sabbia, ci si accovacciava sopra e alla fine la si riempiva con dell'altra sabbia. Prima che mi allontanassi, gli altri mi misero in guardia dai serpenti la cui massima attività, mi spiegarono, si concentrava proprio in quelle ore, quando il caldo non era più così intenso ma prima del freddo della notte. Così fui accompagnata dalla visione di occhietti malevoli e lingue velenose risvegliate dalla mia presenza. Quando mi ero recata in Europa, mi ero spesso lamentata della carta igienica scadente, e quando ero andata in Sud America me ne ero portata dietro un po' della mia. Lì, la mancanza di carta igienica era senza dubbio l'ultimo dei miei problemi.

Rientrata dalla mia piccola avventura nel deserto, presi parte al cerimoniale aborigeno del tè di pietra, che venne preparato lasciando cadere sassi bollenti nella preziosa acqua conservata nella vescica di qualche animale. Poi vi aggiunsero delle erbe selvatiche e le lasciarono in infusione. Lo straordinario contenitore venne più volte fatto passare di mano in mano, e la bevanda era fantastica!

Scoprii che il rito del tè veniva espletato solo in circostanze particolari, in quel caso per celebrare il completamento del mio primo giorno di marcia, perché i miei compagni erano ben consapevoli delle difficoltà che avevo incontrato nella marcia, senza scarpe e sotto il sole cocente. Le erbe aggiunte all'acqua non avevano lo scopo di variare il nostro menù, e neppure possedevano particolari funzioni terapeutiche o nutritive, ma costituivano una celebrazione, un modo di riconoscere il successo dell'impresa. Io non mi ero data per vinta, non avevo preteso di essere riaccompagnata in città, e neppure mi ero lamentata. Di conseguenza, si erano persuasi che avessi ricevuto in me lo spirito aborigeno.

Dopo il tè, tutti cominciarono a lisciare la sabbia nei punti in cui si sarebbero sdraiati, e ciascuno prese dal fagotto comune una pelle di animale arrotolata. Indicando una vecchia che per tutta la sera aveva continuato a fissarmi con espressione stranamente distaccata, chiesi a

Ooota: "A che cosa sta pensando?" E lui: "Che hai perduto il tuo profumo di fiori e che probabilmente provieni dallo spazio esterno."

Sorrisi alla donna, e lei mi porse il mio involto. Si chiamava Maestra di Cucito.

"È una pelle di dingo," mi informò Ooota. Il dingo, come sapevo, è l'equivalente australiano del coyote. "È molto versatile. Puoi stenderla per terra, oppure usarla come coperta o come cuscino."

Splendido, pensai. Posso decidere quali sessanta centimetri del mio corpo voglio far stare comodi!

In ultimo, decisi di usare la pelle come barriera tra me e le creature striscianti che mi ero immaginata poco prima. Erano passati anni dall'ultima volta che avevo dormito per terra. Da bambina, rammentai, avevo molto amato una grande roccia piatta nel Mojave Desert, in California. All'epoca abitavamo a Barstow, un piccolo centro la cui principale attrazione era un grosso cumulo di terra battezzato Collina "B". Spesso d'estate mi ci arrampicavo, provvista di un'aranciata Nehi e di un panino di burro d'arachidi. Mi fermavo a mangiare sempre sulla stessa roccia piatta poi, sdraiata sulla schiena, mi divertivo a individuare forme e oggetti nelle nuvole. Come mi sembrava lontana la mia infanzia! Strano che il cielo fosse rimasto esattamente lo stesso. Nel corso degli anni avevo prestato ben poca attenzione ai corpi celesti, ma quella sera contemplai a lungo il baldacchino color cobalto e punteggiato d'argento che si stendeva sopra la mia testa. Distinsi anche con chiarezza la Croce del Sud, la stessa che compare sulla bandiera australiana.

E, intanto, meditavo sull'avventura che stavo vivendo. Dove avrei trovato le parole per descrivere quel che mi era capitato? Si era aperta una porta ed ero entrata in un mondo di cui fino a quel momento avevo ignorato l'esistenza. Non ero mai vissuta nel lusso, avevo abitato in vari luoghi e visitato molti paesi, usando tutti i possibili mezzi di trasporto, ma niente di paragonabile a questo. Tutto sarebbe andato per il meglio, ormai ne ero convinta.

L'indomani avrei spiegato agli aborigeni che per apprezzare la loro cultura mi era bastato quell'unico giorno. Dato che i miei piedi dovevano sopportare il tragitto di ritorno fino alla jeep, avrei potuto farmi dare un po' di quel balsamo che mi aveva fatto tanto bene. Questo assaggio del loro stile di vita mi era sufficiente e tuttavia, mi dissi, fatta eccezione per i miei poveri piedi, non era andata tanto male.

Nel mio intimo mi sentivo grata per aver appreso qualcosa di più sul modo in cui vivono gli altri. Cominciavo a capire che non è solo sangue quello che attraversa il cuore degli uomini. Chiusi gli occhi e inviai un *grazie* silenzioso alla Potenza che mi sovrastava.

All'altro capo dell'accampamento qualcuno disse qualcosa che subito venne ripresa da chi gli stava accanto e poi ancora e ancora. Ciascuno ripeteva la stessa frase, che si incrociava sopra le figure sdraiate e finalmente arrivò a Ooota, che dormiva non lontano da me. Lui si girò e disse: *"Non c'è di che, è stata una buona giornata."*

Sorpresa da quella inaspettata risposta al mio tacito ringraziamento, replicai ripetendo "Grazie," ma questa volta ad alta voce.

Che cos'è la previdenza sociale?

Molto prima che sorgesse il sole, mi svegliarono i rumori degli altri, intenti a radunare le poche cose utilizzate la sera prima. Mi venne spiegato che, poiché le giornate si andavano facendo sempre più calde, avremmo camminato nelle ore più fresche del mattino, per poi accamparci e riprendere il viaggio solo a tarda sera. Ripiegai la pelle di dingo e la porsi all'uomo che stava facendo i bagagli. Le pelli erano sempre a portata di mano, perché nelle ore più calde del giorno le avremmo usate per costruire un *Wiltja* o per farci ombra.

Quasi tutti gli animali non amano la luce abbacinante del sole, e solo le lucertole, le mosche del deserto e i ragni si mantengono svegli e vigili a trentotto e più gradi. Nelle ore più calde del giorno perfino i serpenti devono nascondersi, se non vogliono disidratarsi e morire. Non è sempre facile individuarli quando, sentendoci arrivare, sollevano la testa per scoprire la causa delle vibrazioni del terreno, e fu un bene che all'epoca ignorassi che in Australia vivono duecento tipi di serpenti, dei quali oltre settanta velenosi.

Ma proprio quel giorno appresi l'eccezionale rapporto che lega gli aborigeni alla natura. Prima di dare inizio alla marcia, ci disponemmo a semicerchio, rivolti a est, poi l'Anziano si spostò al centro e cominciò a cantare, accompagnato dagli altri che battevano le mani o i piedi oppure si percuotevano le cosce, seguendo un particolare ritmo. La cerimonia durò una quindicina di minuti; veniva ripetuta ogni mattina e presto scoprii che si trattava di un elemento molto importante della vita in comune. Era la preghiera (oppure l'esercizio di concentrazione o la focalizzazione dell'obiettivo, o comunque vogliate definirlo) mattutina. Questa gente crede che tutto sul pianeta esista per una ragione precisa, uno scopo. Nulla è casuale, privo di senso o sbagliato. Ci sono solo equivoci o misteri non ancora svelati all'uomo mortale.

Lo scopo del regno vegetale è di nutrire animali e uomini, consolidare il terreno, accrescere la bellezza e mantenere l'equilibrio nell'atmosfera. Mi venne detto che le piante e gli alberi cantano silenziosamente per noi umani e che tutto ciò che ci chiedono in cambio è di cantare per loro. Immediatamente, la mia mente scientifica tradusse questa credenza nello scambio ossigeno-anidride carbonica. Lo scopo principale dell'animale non è quello di nutrire l'uomo; e tuttavia, quando è necessario, acconsente a svolgere tale funzione. Il suo scopo è quello di contribuire all'equilibrio atmosferico, di essere compagno dell'uomo e di istruirlo con l'esempio. Per questo ogni mattina la tribù invia un pensiero, o un messaggio, agli animali e alle piante che ha intorno. "Stiamo camminando sulla vostra strada. Veniamo a farvi adempiere allo scopo della vostra esistenza." Sta alle piante e agli animali decidere chi fra essi verrà scelto.

La tribù della Vera Gente non rimane mai senza cibo, perché l'universo non manca mai di rispondere al loro messaggio mentale, ed è per questo che è convinta che il mondo sia un luogo d'abbondanza. Proprio come voi e io ci raduniamo per ascoltare un pianista e applaudirlo, essi rendono sinceramente onore a tutto ciò che esiste in natura. Quando sul sentiero compariva un serpente, non c'era da dubitare che il suo scopo fosse di fornirci la cena. Il cibo quotidiano aveva un ruolo molto importante nelle celebrazioni serali. Appresi che l'arrivo del cibo non era mai dato per scontato; lo si invocava, lo si attendeva, e quando come sempre arrivava veniva ricevuto con genuina riconoscenza. La tribù incomincia sempre la giornata ringraziando il Tutto per la luce, per se stessi, per gli amici e per il mondo. Talvolta fanno richieste specifiche, ma sempre accompagnate dalla frase: "Se è per il mio bene e per il bene di tutte le forme di vita che mi circondano".

Dopo l'adunata mattutina, avrei voluto dire a Ooota che era giunto il momento di riaccompagnarmi alla jeep, ma non era in vista, così decisi che potevo resistere ancora un giorno.

La tribù non aveva provviste, non seminava né mieteva. Semplicemente, percorreva l'incandescente Outback australiano, sicura che ogni giorno l'universo avrebbe generosamente dispensato i suoi doni. E l'universo non la deludeva mai.

Il primo giorno non facemmo colazione, ma dovevo imparare che questo era normale; qualche volta mangiavamo di notte e, comunque, ogni volta che trovavamo del cibo, senza badare alla posizione del sole. Più spesso, sbocconcellavamo qualcosa qua e là, senza fare un pasto vero e proprio.

Invece, portavamo con noi parecchi recipienti per l'acqua ricavati da vesciche animali. So che il corpo degli uomini è composto per circa il settanta per cento di acqua, e che essi devono ingerire giornalmente almeno quattro litri e mezzo di liquidi. Ma osservando gli aborigeni mi resi conto che il loro bisogno era di molto inferiore, e che bevevano meno di me. Di rado, infatti, attingevano dai loro recipienti, quasi che i loro organismi sapessero sfruttare al massimo l'umidità contenuta nei cibi. Gli aborigeni sono convinti che i Mutanti soffrano di molte dipendenze fisiche, compresa quella dall'acqua.

All'ora dei pasti, usavamo l'acqua per bagnare certe erbe in apparenza completamente avvizzite, e molto spesso bastava immergere nell'acqua quei rametti scuri e secchi per vederli trasformarsi come per magia in freschi steli verdi simili a gambi di sedano.

Gli aborigeni riuscivano a trovare l'acqua anche dove non era visibile la minima traccia di umidità. A volte si sdraiavano sulla sabbia e la sentivano scorrere sotto terra, altre volte era sufficiente che tenessero le mani a una certa altezza dal suolo con i palmi rivolti verso il basso. Conficcavano nella terra lunghe canne vuote e succhiandone l'estremità creavano fontane in miniatura. L'acqua era sabbiosa e bruna, ma pura e rinfrescante. Sapevano individuarla a distanza osservando i vapori della calura, e riuscivano persino a fiutarla nell'aria. Ora capisco perché sono tante le vittime fra coloro che vogliono esplorare l'entroterra australiano. Per sopravvivere, è necessaria l'esperienza degli indigeni.

Quando estraemmo l'acqua da una fenditura nella roccia, mi venne insegnato ad accostarmi con cautela, così da non contaminare l'area col mio odore e spaventare gli animali. Dopotutto, quell'acqua apparteneva anche a loro, e su di essa potevano accampare gli stessi diritti degli uomini. La tribù non prendeva mai tutta l'acqua, neppure quando le scorte scarseggiavano, e faceva attenzione a bere sempre nello stesso punto. Gli animali, apparentemente, facevano lo stesso, e solo gli uccelli ignoravano la regola, e bevevano, sguazzavano e defecavano liberamente ovunque.

Ai membri della tribù bastava guardare il terreno per capire quali animali si trovavano nelle vicinanze. Fin da bambini, infatti, sviluppano l'abitudine all'osservazione minuziosa, così da riconoscere con un'occhiata le impronte lasciate sulla sabbia da creature che si spostano camminando, saltando o strisciando. Conoscono talmente bene le orme di ciascun compagno che non solo sono in grado di riconoscerlo ma anche di stabilire dalla lunghezza dei passi se è in buona salute e se cammina piano perché è malato, e la minima deviazione basta a informarli sulla sua probabile destinazione. La loro capacità percettiva è molto più sviluppata che negli individui appartenenti ad altre culture. Il loro senso dell'udito, della vista e dell'odorato sembrano raggiungere livelli quasi sovrumani, e delle semplici orme sulla sabbia trasmettono vibrazioni che rivelano molto di più di quanto non appaia.

In seguito appresi che i cacciatori aborigeni sono noti per la loro capacità di stabilire, osservando le tracce dei pneumatici, il tipo di veicolo, il giorno e l'ora del suo passaggio e persino il numero dei passeggeri a bordo.

Per qualche giorno, mangiammo bulbi, tuberi e altri vegetali che crescevano sotto terra, molto simili alle patate. I miei compagni erano in grado di riconoscere quelle mature senza svellerle dal terreno; muovevano le mani sopra di esse e dicevano: "Questa sta crescendo, ma non è ancora pronta", oppure: "Sì, questa è pronta per dare la vita". A me gli steli sembravano tutti uguali; così, dopo averne inutilmente estratte parecchie ed essere rimasta a osservare mentre le piantavano di nuovo, decisi che era meglio limitarmi a prendere quelle che mi indicavano. Essi ritenevano che quella straordinaria capacità fosse comune a tutti gli esseri umani, ma poiché la mia società non incoraggia i suoi membri a dare ascolto alle indicazioni dell'intuito, considerate soprannaturali e forse maligne, dovevo essere addestrata a imparare ciò che è invece perfettamente naturale. Mi insegnarono così a chiedere alle piante se erano pronte a svolgere la funzione per cui erano nate. Dopo aver sollecitato l'assenso dell'universo, le saggiavo col palmo della mano. A volte avvertivo del calore e a volte, quando la pianta era matura e pronta per essere colta, un fremito incontrollabile sembrava percorrere le mie dita. Quando imparai tutto questo, sentii di essermi quasi guadagnata l'ammissione nella tribù, e mi parve di essere un po' meno mutante e che, forse, stavo gradatamente diventando più vera.

Era importante non estirpare mai un intero letto di piante, ma lasciarne sempre una parte per un nuovo raccolto. I membri della tribù erano sorprendentemente ricettivi a ciò che definivano la canzone o i taciti suoni della terra. Percepivano segnali precisi inviati dall'ambiente, sapevano decifrarli e quindi agire di conseguenza, quasi avessero sviluppato una sorta di celestiale ricevitore attraverso il quale venivano convogliati i messaggi dell'universo.

Uno dei primi giorni di marcia arrivammo a un bacino lacustre ormai asciutto. Sulla sua superficie si aprivano ampie fenditure irregolari, con i bordi stranamente arricciati. Parecchie donne si misero a raccogliere l'argilla bianca che in seguito venne polverizzata per essere utilizzata come pittura.

Esse conficcavano dei lunghi bastoni nella dura superficie argillosa e parecchie decine di centimetri più sotto, dal terreno umido, estraevano delle piccole sfere di fango che, con mia grande sorpresa, una volta ripulite si rivelavano ranocchi. Evidentemente queste bestiole evitano la morte per disidratazione seppellendosi a un metro e più di profondità sotto la superficie. Arrostite, conservavano un notevole grado di umidità e il loro sapore assomigliava a quello del petto di pollo. Nel corso dei mesi successivi, ci imbattemmo in una sorprendente varietà di cibo da onorare nella nostra quotidiana celebrazione della vita universale. Mangiammo canguro, lucertole, cavalli selvaggi, serpenti, insetti, vermi di ogni colore e dimensione, formiche, termiti, formichieri, uccelli, pesci, semi, noci, frutta, qualità troppo numerose di piante perché possa menzionarle tutte, e persino coccodrillo.

Quella prima mattina, una delle donne mi si avvicinò. Si tolse la fascia sporca che le cingeva la fronte e la usò per raccogliere i miei capelli in una nuova foggia. Il suo nome era Donna dello Spirito. Allora non capivo con chi fosse spiritualmente imparentata, ma dopo che fummo diventate buone amiche decisi che lo era con me.

Persi la nozione dei giorni, delle settimane, del tempo stesso. Avevo rinunciato a chiedere di venire riaccompagnata alla jeep. Mi sembrava inutile; e poi era chiaro che si stava preparando qualcos'altro, che avevano qualcosa in mente, anche se, questa volta, era evidente che non mi sarebbe stato permesso sapere di che cosa si trattava. Venivo continuamente sottoposta a prove di forza, oppure per provocare le mie reazioni o per stabilire in che cosa credevo, ma non sapevo perché: mi chiedevo se degli individui che non sapevano né leggere né scrivere avessero concepito un metodo alternativo alle pagelle per la valutazione dei loro allievi.

Certi giorni la sabbia era così calda che i miei piedi sfrigolavano come hamburger in padella, ma a mano a mano che le vesciche si asciugavano e si indurivano, sulle piante cominciò a formarsi una sorta di zoccolo calloso.

Col passare del tempo, la mia resistenza fisica raggiunse soglie sorprendenti. Costretta a un solo pasto al giorno, imparai a nutrirmi con gli occhi. Osservavo la corsa delle lucertole e i cerimoniali degli insetti, e scoprivo disegni nascosti nella pietra e in cielo.

I miei compagni mi indicavano i luoghi sacri del deserto. Sembrava che tutto fosse sacro: grappoli di rocce, colline, precipizi, persino levigati bacini inariditi. Linee invisibili delimitavano il territorio appartenuto in passato ad altre tribù. Mi spiegarono come misurassero le distanze intonando canzoni dai ritmi ben precisi. Alcune erano composte da oltre cento versi, e ogni parola e ogni pausa doveva essere ripetuta fedelmente, né erano permessi vuoti di memoria o improvvisazioni dato che ogni canzone costituiva una vera e propria asta di misurazione. Effettivamente la tribù cantava sempre durante gli spostamenti . Quanto a me, potei solo paragonare il loro metodo a quello elaborato da un mio amico non vedente. Essi hanno rifiutato il linguaggio scritto perché a loro avviso offusca i poteri della memoria. È solo esercitandola che la nostra memoria mantiene un grado ottimale di funzionamento.

E intanto, giorno dopo giorno, il cielo rimaneva sgombro e di un purissimo colore azzurro pastello, appena con qualche sfumatura diversa. La luce vivida del mezzogiorno si riverberava sulla sabbia costringendomi ad aguzzare gli occhi ma al tempo stesso rafforzandoli, rendendoli più aperti a un nuovo fiume di visioni.

Cominciai ad apprezzare, e non più a dare per scontato, l'effetto rinvigorente di una notte di sonno, il modo in cui pochi sorsi d'acqua bastavano a calmare la mia sete e l'intera gamma dei sapori, dal dolce all'amaro. Avevo passato la vita assillata dalla necessità di garantirmi un lavoro sicuro, di premunirmi contro l'inflazione, di acquistare beni immobili e risparmiare in vista della pensione. Ma qui la nostra unica sicurezza era l'immutabile ciclo del sole che sorgeva al mattino e tramontava la sera. E non finivo di stupirmi constatando che la razza maggiormente priva di sicurezze... almeno secondo i miei standard... non soffriva di ulcera, né di ipertensione o di malattie cardiovascolari.

Cominciai a vedere la bellezza e l'unicità di tutte le forme della vita negli spettacoli più insoliti. Un nido di serpenti, forse duecento in tutto e ciascuno grosso come il mio pollice, che si intrecciavano con gli stessi movimenti che si possono ammirare sui vasi conservati nei musei. Ho sempre odiato i serpenti, ma ora li vedevo come una componente essenziale per l'equilibrio naturale e la sopravvivenza del nostro gruppo... Creature così difficili da accettare spontaneamente, che l'uomo aveva finito per farne un'espressione artistica e religiosa. Certo, non ero ansiosa di mangiare carne di serpente affumicata, e tanto meno serpente crudo, ma arrivò il momento in cui feci anche questo. Avevo ormai imparato quanto fosse preziosa l'umidità garantita dal cibo, sotto qualunque forma si presentasse.

Nel corso dei mesi, ci trovammo ad affrontare i climi più estremi. Inizialmente usai la mia pelle di dingo come materasso, ma con l'arrivo del freddo la adibii a coperta. Quasi tutti dormivano sulla terra nuda, stretti l'uno nelle braccia dell'altro; preferivano affidarsi al calore corporeo piuttosto che a quello del fuoco, anche se nelle notti più gelide venivano accesi parecchi falò. In passato avevano viaggiato in compagnia di dingo addomesticati che li aiutavano nella caccia e garantivano compagnia e calore nelle notti fredde; da questa consuetudine è nata l'espressione "una notte da tre cani".

Spesso, la sera, ci sdraiavamo per terra in cerchio. In questo modo si sfruttavano nel modo più razionale le coperte, e il calore dei corpi si conservava più a lungo. Scavavamo piccoli canali nella sabbia e vi deponevamo uno strato di carboni ardenti che poi ricoprivamo con altra sabbia. Poi vi adagiavamo sopra metà delle pelli e ci coprivamo con quelle restanti. Due persone si dividevano un canaletto, e tutti tenevano i piedi rivolti verso il centro.

Ricordo di aver indugiato spesso, col mento appoggiato sulle mani, a guardare l'immensa volta del cielo. In quei momenti percepivo appieno l'essenza delle persone pure, innocenti e piene d'amore che mi circondavano. Quel circolo di anime disposte a margherita, con i minuscoli fuochi che ardevano fra ogni coppia, doveva certo costituire una vista magnifica se osservata dall'alto.

I miei compagni sembravano appena sfiorarsi a vicenda gli alluci, ma giorno dopo giorno stavo imparando che da sempre la loro consapevolezza era in contatto con la consapevolezza universale dell'umanità.

Cominciavo anche a capire perché mi percepivano come un Mutante, ed ero altrettanto sinceramente grata di avere quest'occasione per destarmi.

Telefono senza fili

Quel giorno cominciò più o meno come tutti gli altri, così non immaginavo quello che aveva in serbo per me. Facemmo però colazione, cosa che non accadeva di frequente. Il giorno prima ci eravamo imbattuti in una macina, una roccia di forma ovale larga e pesante. Poiché trasportarla sarebbe stato impossibile, era stata lasciata lì perché i viaggiatori così fortunati da avere con sé semi o granaglie potessero utilizzarla. Le donne trasformarono degli steli di piante in farina a cui mescolarono erba salata e acqua, formando una focaccia piatta molto simile a un *pancake* di dimensioni ridotte.

Guardammo verso oriente per la preghiera mattutina e rendemmo grazie per le molte benedizioni che ci erano state elargite. Poi inviammo il nostro quotidiano messaggio al regno del cibo.

A quel punto uno degli uomini più giovani fece un giro al centro; si sapeva che si era offerto per eseguire un compito speciale quel giorno stesso. Lasciò l'accampamento molto presto e corse via, precedendoci. Camminavamo ormai da parecchie ore quando l'Anziano si fermò di colpo e cadde in ginocchio. Prese a ondeggiare lievemente su se stesso, le braccia tese in avanti, mentre tutti gli si radunavano intorno. Chiesi a Ooota che cosa stesse accadendo, ma lui mi fece cenno di tacere. Tutti tacevano, ma c'era un'espressione intenta sui loro volti. Infine Ooota si rivolse a me e mi spiegò che stavano ricevendo un messaggio del giovane che era partito la mattina presto in esplorazione: chiedeva il permesso di tagliare la coda del canguro che aveva ucciso.

Solo allora cominciai a capire il motivo per cui la nostra marcia si svolgeva sempre in silenzio. Questa gente utilizzava abitualmente la telepatia per comunicare, e io stavo assistendo a uno di quei taciti scambi. Non si udiva il minimo suono, e tuttavia persone distanti tra loro più di trenta chilometri si stavano scambiando dei messaggi.

"Perché vuol tagliargli la coda?" domandai.

"Perché è la parte più pesante del canguro e lui sta troppo male per poter trasportare l'intero animale. È più alto di lui e ci sta dicendo che l'acqua che si è fermato a bere era contaminata e che ora il suo corpo si è fatto troppo caldo. Gocce di sudore gli rigano il viso."

Venne inviata una silenziosa risposta telepatica, poi Ooota mi disse che per quel giorno non avremmo proseguito. Poi cominciarono a scavare una buca in vista della grande quantità di cibo attesa; altri si diedero a preparare delle medicazioni a base di erbe sotto le istruzioni di Uomo di Medicina e Guaritrice. Molte ore dopo, il cacciatore tornò al campo curvo sotto il carico di un enorme canguro senza coda. L'animale era stato sventrato, e lo squarcio richiuso con dei rametti appuntiti. Il cacciatore aveva usato gli intestini per legargli le zampe. Aveva trasportato sulla testa e sulle spalle cinquanta chili di carne, ma sudava ed era chiaramente ammalato. Rimasi a osservare la tribù che si metteva all'opera, dedicandosi chi alle cure mediche chi alla cottura del pasto.

Dapprima il canguro venne passato sulla fiamma, e l'odore della pelliccia strinata che indugiò a lungo nell'aria mi rammentò lo smog di Los Angeles. Poi gli tagliarono la testa e gli spezzarono le zampe per estrarne i tendini. Il corpo venne quindi calato nella buca che era stata rivestita di carboni ardenti. In un angolo fu collocato un piccolo recipiente pieno d'acqua con una lunga canna che sporgeva oltre l'orlo della fossa, la quale venne poi coperta con fascine di legna. Di tanto in tanto, nelle ore successive, lo chef si chinava a soffiare nella canna in modo da spargere l'acqua tutt'intorno e produrre così vapore.

Quando però fu ora di mangiare, solo lo strato esterno di carne si era arrostita, mentre all'interno sanguinava ancora. Dissi allora che avrei infilato la mia porzione su un bastoncino, come fosse un hot-dog, perché cuocesse meglio, e subito qualcuno mi preparò un utensile adatto.

Nel frattempo, per curare il giovane cacciatore, gli somministrarono una bevanda a base di erbe. Poi ammucchiarono intorno ai suoi piedi la sabbia fresca estratta dalla buca che avevamo appena scavato. In quel modo, mi dissero, il calore sarebbe sceso dalla testa agli arti inferiori, riequilibrando la temperatura generale del corpo. Mi sembrava un sistema alquanto bizzarro, e tuttavia funzionò e la febbre cominciò a calare. Quanto alle erbe, gli evitarono i dolori addominali e la diarrea che mi aspettavo di veder insorgere dopo un simile cimento.

Fu un'esperienza davvero eccezionale, e se non fossi stata presente credo che avrei avuto serie difficoltà a credere a quanto era accaduto, soprattutto per quanto riguarda la comunicazione telepatica. Cercai di spiegare a Ooota quello che provavo. Lui sorrise e rispose: "Ora sai come si sente un indigeno la prima volta che va in città e vede qualcuno infilare una moneta nell'apparecchio telefonico, comporre il numero e cominciare a parlare con qualcuno. Per l'indigeno, è questa la cosa incredibile."

"Sì," assentii io. "Entrambi i sistemi sono buoni, ma di

sicuro il vostro è più efficace qui nel deserto, dove non ci sono né monetine né cabine telefoniche."

Intuivo che la telepatia era qualcosa a cui i miei connazionali sarebbero stati restii a credere. Potevano accettare tranquillamente che in tutto il mondo gli uomini si massacrassero l'un l'altro, ma non che sulla terra esistesse della gente non razzista che andava d'amore e d'accordo e si aiutava reciprocamente, che andava alla scoperta dei propri talenti e li onorava così come onorava quelli altrui. Secondo Ooota, il motivo per cui la Vera Gente può utilizzare la telepatia è soprattutto uno: nessuno di loro mente mai; per la tribù non esistono mezze verità o piccole bugie, né tanto meno smaccate falsità. E poiché non mentono, non hanno nulla da nascondere, e non hanno paura di aprire la mente per ricevere, così come sono sempre disposti a dare. Mi spiegò poi come si sviluppava tale capacità. Capitava per esempio che un bambino di due anni desiderasse per sé il sasso legato a una corda con cui vedeva giocare un compagno. Se però tentava di portarglielo via, subito sentiva su di sé lo sguardo di disapprovazione degli adulti. Imparava così che la sua intenzione di appropriarsi senza permesso di qualcosa era nota a tutti, e da tutti giudicata inaccettabile. Quanto al secondo bambino, imparava a condividere le cose e a non attaccarvicisi, e, poiché aveva già avuto modo di divertirsi con il giocattolo e di immagazzinare il ricordo del divertimento, capiva che non era l'oggetto in sé a essere desiderabile, ma la sensazione di felicità che l'oggetto stesso gli procurava.

Telepatia... è questo il modo in cui originariamente gli esseri umani erano destinati a comunicare. Idiomi e alfabeti scritti non possono che essere considerati un ostacolo quando si è in grado di comunicare mentalmente. Ma, mi dissi, non avrebbe mai funzionato nel mio mondo, dove si deruba il datore di lavoro, si evade il fisco e si fanno imbrogli di ogni tipo. La mia gente non avrebbe mai tollerato una "apertura mentale" di questa portata. Ha troppi inganni, troppa sofferenza, troppa amarezza da nascondere.

Ma per quanto riguardava me, potevo io perdonare chi mi aveva fatto dei torti? E perdonare me stessa per tutto il dolore che avevo inflitto? Mi augurai di riuscire, un giorno, a mettere a nudo la mia mente con la generosità degli aborigeni, e farmi da parte mentre le mie motivazioni venivano rivelate e soppesate.

La Vera Gente non crede che la funzione precipua della voce sia quella di parlare. Parlare è qualcosa che coinvolge il cuore e la testa; se si utilizza la voce, si tende inevitabilmente a dire cose futili, poco spirituali. La voce è fatta per cantare, per celebrare e per guarire.

Mi dissero che ciascun essere umano possiede molti talenti e che tutti possono cantare. Se io non onoravo il dono elargitomi perché ero convinta di non saper cantare, questo non bastava a sminuire la cantante che è in me.

In seguito, quando nel corso del viaggio i miei compagni mi aiutarono a sviluppare le mie capacità telepatiche, scoprii che finché ospitavo nel cuore o nella mente qualcosa che ritenevo necessario nascondere, non avrei fatto alcun progresso. Dovevo arrivare a sentirmi in pace con *ogni cosa*.

Dovevo imparare a perdonare me stessa, a non giudicare il passato ma a trarne insegnamento. I miei compagni mi dimostrarono che è indispensabile essere sincera, accettare e amare me stessa, per poter a mia volta trasmetterlo agli altri.

Un cappello per l'Outback

Le mosche del deserto sono un flagello. Arrivano a sciami con i primi raggi del sole e infestano il cielo dell'Outback a milioni. Assomigliano a un tornado nel Kansas, e anche il rumore è lo stesso.

Impossibile non mangiare e non respirare mosche. Mi si insinuavano nelle orecchie, su per il naso, mi riempivano gli occhi e riuscivano perfino a superare la barriera dei denti e a ficcarmisi in gola. Il loro sapore disgustosamente dolciastro mi provocava conati di vomito. Mi aderivano al corpo al punto che, abbassando gli occhi, mi sembrava di indossare una specie di armatura nera in continuo movimento. Non pungevano, ma ero troppo occupata a soffrire per rendermene conto. Erano talmente grosse e veloci, e talmente numerose, da essere quasi insopportabili. Soprattutto gli occhi ne soffrivano.

I membri della tribù riuscivano a intuire dove e quando le mosche sarebbero comparse, e non appena le vedevano o le udivano arrivare si fermavano immediatamente, chiudevano gli occhi e restavano immobili, con le braccia penzoloni lungo i fianchi.

Io stavo imparando da loro a vedere il lato positivo praticamente di ogni cosa, ma con le mosche dovettero intervenire a salvarmi. Fu senz'altro l'impresa più estenuante della mia vita, e capivo bene come si potesse impazzire con il corpo ricoperto da milioni di zampette in movimento; fu solo fortuna se miei i nervi non cedettero.

Una mattina mi si accostò un comitato composto da tre donne. Chiesero e ottennero qualche ciocca dei miei capelli, che strapparono loro stesse. Mi sono schiarita i capelli per trent'anni, e al mio arrivo nel deserto erano di un biondo molto chiaro. Li portavo lunghi, ma sempre raccolti in uno chignon. Da allora, però, erano passate settimane in cui non avevo mai avuto la possibilità di lavarli né di spazzolarli, e non sapevo più che aspetto avessero. Non ci eravamo neppure imbattuti in una pozza d'acqua abbastanza limpida da potercisi specchiare, quindi potevo soltanto immaginare che fossero ridotti a una massa sporca, arruffata e piena di nodi. Per tenere la fronte libera, portavo la fascia regalatami da Donna dello Spirito.

Il progetto delle donne subì un certo ritardo quando scoprirono che i miei capelli biondi avevano le radici scure. Eccitate, corsero subito a riferirlo all'Anziano, un uomo di mezza età, dai modi pacati e il corpo atletico. Nel breve periodo trascorso insieme, avevo avuto modo di apprezzare la sincerità con cui si rivolgeva ai compagni e la spontaneità con cui li ringraziava per l'aiuto che offrivano al gruppo. Capivo bene perché fosse lui il capo.

L'Anziano mi ricordava una persona che avevo incontrato anni addietro nell'atrio della Southwestern Bell di Saint Louis. Erano circa le sette del pomeriggio e il portiere che stava lavando il pavimento di marmo mi aveva fatta entrare perché mi riparassi dalla pioggia. Una lunga berlina nera si fermò lì davanti e pochi istanti dopo entrò il presidente della Texas Bell. Mi rivolse un cenno di saluto e disse "Buongiorno" al portiere. Poi gli espresse il suo apprezzamento, e gli disse che era sicuro di fare bella figura con qualunque visitatore, fosse anche il capo del governo, perché grazie a lui il pavimento sarebbe stato sempre pulitissimo. Ascoltandolo, capii che era sincero e che la sua non era una sviolinata. Io ero lì solo per caso, e tuttavia non mi sfuggì la fierezza che illuminò il viso del portiere. Scoprii allora che negli autentici leader c'è qualcosa che trascende ogni barriera. Mio padre era solito dirmi: "La gente non lavora per una ditta. Lavora per altra gente". E nel comportamento dell'Anziano di quella tribù sperduta nell'Outback riconobbi le caratteristiche del vero capo.

Dopo che ebbe ammirato a sua volta lo strano spettacolo delle radici scure dei capelli biondi della Mutante, l'Anziano lo mostrò a tutti gli altri. Li vidi illuminarsi in faccia e sorridere di piacere, e Ooota mi spiegò che a loro avviso io stavo diventando sempre più un'aborigena.

Esaurito il divertimento, il comitato femminile tornò alle faccende serie e cominciò a intrecciare nei miei capelli semi, piccole ossa, ramoscelli, erbe e un tendine di canguro. Quando finirono, io ero la proprietaria della fascia per capelli più elaborata che avessi mai visto, con i lunghi fili a cui erano sospesi i vari oggetti che mi arrivavano fino al mento. Mi spiegarono che il cappello da pesca australiano, alla cui tesa sono appesi i galleggianti di sughero, era appunto un'imitazione dei copricapi indigeni ideati a protezione contro le mosche.

Proprio quel giorno ci capitò di imbatterci in uno sciame di quegli orribili insetti, e la mia fascia si rivelò un vero dono di Dio.

Un altro giorno, dopo che eravamo stati tormentati da un enorme nugolo di mordaci insetti volanti, mi cosparsero di olio di serpente e cenere e mi dissero di rotolarmi nella sabbia. Una procedura stravagante, ma che bastò a scoraggiare quelle creature. Valeva la pena di andarmene in giro bardata come un clown per evitare che le mosche mi si infilassero nelle orecchie, perché sentire un insetto muoversi dentro la testa poteva farmi impazzire.

Chiesi a parecchi come riuscissero a restare così immobili mentre le mosche gli zampettavano addosso, ma in risposta ottenni solo sorrisi. A un certo punto, fui informata che il Capo, Cigno Reale Nero, voleva parlarmi. "Riesci a capire quanto dura il sempre?" chiese. "È un tempo molto, molto lungo. L'eternità. Noi sappiamo che nella tua società voi portate il tempo al braccio, e che è il tempo a regolare la vostra vita, per questo ti chiedo: capisci quanto dura il sempre?"

"Sì," risposi, "lo capisco."

"Bene. Allora adesso possiamo dirti qualcosa di più. Nel Tutto, ogni cosa ha uno scopo. Non ci sono errori, né stranezze, né incidenti, ma solo cose che gli esseri umani non capiscono. Tu credi che le mosche del deserto siano cattive, infernali, così per te lo sono, ma questo è perché non hai ancora raggiunto il necessario livello di comprensione e saggezza. Invece sono creature necessarie e benefiche. Si infilano nelle orecchie e ne estraggono il cerume e la sabbia che vi si accumulano mentre dormiamo. Non ti sei accorta che abbiamo un udito perfetto? E le mosche si insinuano anche nel nostro naso e lo puliscono." Indicò il mio naso. "Tu hai le narici molto piccole, non hai il nostro grosso naso da koala. Nei giorni a venire la temperatura aumenterà ancora, e se il tuo naso non sarà pulito, soffrirai. Quando il caldo è eccessivo, non bisogna far entrare l'aria in bocca. Se c'è qualcuno che ha bisogno di un naso pulito, sei tu. Le mosche zampettano sul tuo corpo e vi si incollano, rimuovendone tutto ciò che dev'essere rimosso." Tese il braccio. "Vedi com'è liscia e morbida la nostra pelle? E ora guarda la tua. Non abbiamo mai conosciuto nessuno che cambiasse colore semplicemente camminando. Quando sei venuta da noi eri bianca, poi sei diventata rossa rossa e ora ti stai seccando e perdendo interi pezzi di te. Diventi più piccola ogni giorno che passa. Non abbiamo mai conosciuto nessuno che lasciasse la pelle sulla sabbia come fanno i serpenti. Hai bisogno che le mosche ti puliscano la pelle, e un giorno, quando arriveremo nel luogo in cui le mosche hanno deposto le uova, esse ci daranno anche da mangiare." Sospirò profondamente e mi guardò. "Gli esseri umani non potrebbero esistere se tutto ciò che è sgradevole venisse eliminato invece di essere compreso. Quando arrivano le mosche, noi ci arrendiamo. Forse ora anche tu sei pronta per fare lo stesso."

Quando udii di nuovo in lontananza il rumore delle mosche, slacciai la fascia che mi tratteneva i capelli e la contemplai per qualche istante, poi decisi di fare come mi era stato suggerito. Le mosche arrivarono e se ne andarono. Con la mente mi spinsi fino a New York, per la precisione fino a un esclusivo centro medico-estetico. Con gli occhi chiusi, lasciai che qualcuno mi detergesse le orecchie e il naso. Visualizzai il diploma dell'estetista appeso alla parete sopra di me. Centinaia di minuscoli batuffoli di cotone mi pulivano l'intero corpo. Alla fine gli insetti se ne andarono e io fui di nuovo nell'Outback. Dunque era vero; in certe circostanze la resa è la risposta giusta. Mi chiesi quante altre cose in passato avessi recepito come negative o difficili, invece di mettermi alla ricerca del loro autentico scopo.

Il fatto di non possedere uno specchio pareva influenzare in qualche modo il mio stato di consapevolezza. Era un po' come andare in giro chiusa in una capsula, con due fori all'altezza degli occhi. Il mio sguardo era sempre rivolto all'esterno, verso gli altri, per vedere in che modo si rapportavano a quello che facevo o che dicevo. Per la prima volta, la mia vita era del tutto onesta. Gli indumenti che indossavo sarebbero apparsi inaccettabili nel mio ambiente di lavoro. Non ero truccata. Il mio naso si era spelato almeno una dozzina di volte. Nessuno fingeva, nessuno cercava di attirare l'attenzione su di sé. Non si facevano pettegolezzi e nessuno veniva manipolato da qualcun altro.

Senza uno specchio che mi riportasse drammaticamente alla realtà, ero libera di sentirmi bella. Ovviamente non lo ero, ma era così che mi sentivo. I miei nuovi amici mi prendevano così com'ero, mi facevano sentire dei loro, e unica e meravigliosa. Stavo imparando a capire quello che si prova quando si è accettati senza condizioni né riserve.

Quella sera, quando mi coricai sul mio materasso di sabbia, una filastrocca tratta da *Biancaneve* continuava a ronzarmi nella testa.

Specchio, specchio delle mie brame
chi è la più bella del reame?

Gioielli

Più camminavamo, più il caldo aumentava. Più il caldo aumentava, più la vegetazione e le forme di vita sembravano scomparire. Procedevamo su una distesa di sabbia intervallata da rare macchie di alti steli secchi e morti. All'orizzonte nulla, né alberi né montagne. Era una giornata fatta solo di sabbia, di sabbia e di erbaccia color sabbia.

Quel giorno cominciammo a portare un *bastone di fuoco,* ossia un pezzo di legno che veniva mantenuto acceso agitandolo piano piano. Nel deserto, dove la vegetazione è così scarsa e preziosa, qualunque trucco è buono per garantire la sopravvivenza. Il bastone di fuoco veniva usato per accendere il falò del bivacco notturno, quando anche l'erba secca era una rarità. Mi accorsi che i membri della tribù raccoglievano i rari mucchietti di escrementi lasciati dalle creature del deserto, soprattutto quelli dei dingo. Erano infatti un ottimo combustibile, e del tutto privi di odore.

Ciascun essere umano possiede più di un talento, mi venne rammentato, e loro trascorrevano la vita esplorando le proprie capacità di musicisti, guaritori, cuochi e narratori, attribuendosi via via nomi nuovi e nuove e più alte qualifiche. Decisi di fare altrettanto e mi diedi il nome scherzoso di Raccoglitrice di Sterco.

Quel giorno, una ragazza molto carina si inoltrò in una macchia d'erba e ne emerse portando un bellissimo fiore giallo dal lungo stelo che si legò intorno al collo, in modo che la corolla le pendesse sulla fronte, simile a un prezioso diadema. Tutti le si radunarono intorno per dirle quanto era bella e che ottima scelta avesse fatto cogliendo il fiore giallo. Ricevette complimenti per tutto il giorno e io intuii la sua felicità nel sentirsi più graziosa del solito.

Guardandola, mi tornò in mente un episodio verificatosi poco prima che lasciassi gli Stati Uniti. Era venuta a consultarmi una donna che accusava gravi disturbi da stress. Quando le chiesi quali problemi avesse, mi raccontò che la sua compagnia di assicurazioni aveva aumentato di ottocento dollari il premio relativo a una delle sue collane di brillanti. A New York aveva trovato un artigiano che sosteneva di potergliene fare una copia perfetta con pietre di imitazione, e lei contava di partire per quella città e di restarci fino a lavoro ultimato; dopodiché avrebbe chiuso i brillanti autentici in cassetta di sicurezza. Questo non avrebbe eliminato la necessità di una copertura assicurativa, dato che neppure il caveau della banca migliore offre garanzie assolute contro i furti, ma il tasso si sarebbe considerevolmente ridotto.

Ricordo di averle chiesto se sarebbe andata al ballo municipale che si sarebbe tenuto di lì a poco: la donna mi rispose che per quel giorno la copia sarebbe stata pronta e avrebbe potuto indossarla.

Quella sera, nel deserto, la ragazza della tribù della Vera Gente depose a terra il fiore di cui si era adornata e lo restituì alla Madre Terra. Aveva svolto la sua funzione; lei gli era grata e avrebbe conservato come un tesoro il ricordo delle attenzioni che le erano state elargite quel giorno e che le avevano confermato la sua avvenenza. Non per questo, però, aveva concepito un particolare attaccamento per l'oggetto in questione. Il fiore sarebbe avvizzito e morto per trasformarsi in humus ed entrare ancora una volta a far parte del ciclo vitale.

Ripensai alla mia paziente, poi guardai la ragazza aborigena. Il suo gioiello aveva un significato, i nostri solo un valore economico.

È proprio vero, conclusi, nel mondo c'era chi determinava il valore delle cose usando falsi criteri; ma non era certo questa gente primitiva dell'arido entroterra australiano.

Sugo di carne

L'aria era talmente immobile che mi sembrava di sentire i peli crescere sotto le ascelle, così come sentivo la callosità che mi ricopriva le piante dei piedi indurirsi a mano a mano che si seccavano gli strati epidermici più profondi.

La nostra marcia si interruppe bruscamente nei pressi di una croce rudimentale che un tempo aveva contrassegnato una tomba. Il laccio che la teneva insieme si era rotto, e i due bracci, uno lungo e l'altro corto, giacevano a terra. Fabbricatore di Utensili li prese, ed estratta dalla sua borsa una sottile striscia di pelle, la usò per ricomporre la croce. Gli altri raccolsero lì intorno delle grosse pietre e con esse ancorarono la croce nella sabbia. "È una tomba della tribù?" chiesi a Ooota.

"No," mi rispose. "Ospitava un Mutante. È qui da molti, molti anni. Ormai dimenticata dalla tua gente e forse anche dall'uomo che l'ha eretta."

"Perché allora l'avete riparata?"

"Perché non avremmo dovuto? Noi non comprendiamo né accettiamo il vostro modo di vivere, ma non per questo vi giudichiamo. Vi onoriamo perché siete ciò che dovete essere, tenuto conto delle vostre scelte del passato e della vostra attuale libertà di scelta. Questo posto ha per noi la stessa funzione di altri luoghi sacri. Ci consente di sostare per riflettere, per rafforzare il nostro rapporto con il Tutto divino e la vita in ogni sua forma. Qui non è rimasto nulla da vedere, neppure le ossa! Ma il mio popolo rispetta il tuo popolo. Per questo benediciamo questa tomba e ne abbiamo cura, e per essere passati di qui diventiamo migliori."

Quel pomeriggio meditai a lungo, frugando fra i relitti del mio passato. Un lavoro sporco, pauroso, persino pericoloso. Scoprii innumerevoli vecchie abitudini e convinzioni che avevo difeso muovendo da presupposti falsi e fuorvianti. Mi sarei fermata a riparare la tomba di un ebreo o di un buddhista? Ricordavo bene come mi irritassero gli ingorghi provocati dalla folla di fedeli che lasciavano un luogo di preghiera. Sarei stata capace, d'ora in poi, di restare concentrata su ciò che era davvero importante, di non erigermi a giudice, ma di lasciare che gli altri seguissero la loro strada accompagnati dalla mia benedizione? Stavo cominciando a capire che noi diamo sempre qualcosa a tutte le persone che incontriamo, ma che scegliamo che cosa dare. Ogni nostra parola, ogni nostra azione è diretta ad allestire la scena per la vita che aspiriamo a condurre.

Si levò improvvisa una folata di vento. L'aria mi accarezzò per pochi secondi il corpo, ruvida come una lingua di gatto sulla mia pelle già tanto martoriata. In quel momento intuii che non sarebbe stato facile onorare anche le tradizioni e i valori che non capivo e che non condividevo, ma che se fossi riuscita nel mio intento ne avrei tratto immensi benefici.

Quella sera, sotto un cielo rischiarato dalla luna piena, ci radunammo intorno al fuoco. Un bagliore color arancio ci illuminava il viso mentre chiacchieravamo di cibo. Mi fecero molte domande e io risposi come meglio potei, consapevole dell'attenzione con cui mi ascoltavano. Parlai delle mele e delle varietà ibride che erano state create, della salsa di mele e della buona vecchia crostata. Loro mi promisero di cercarmi delle mele selvatiche da assaggiare. La tribù della Vera Gente, seppi, era fondamentalmente vegetariana. Da secoli mangiavano liberamente i frutti spontanei della terra: bacche, patate dolci, noci e semi. Ad essi aggiungevano pesce e uova quando questi alimenti comparivano con il chiaro proposito di diventare parte del corpo dell'aborigeno. Preferivano non mangiare cose che avevano una "faccia". Avevano sempre macinato il grano, e mangiavano carne solo per necessità, allorché si allontanavano dalla costa per inoltrarsi nell'Outback.

Io descrissi un ristorante e le guarnizioni con cui vengono serviti i piatti. Li sorprese moltissimo un mio accenno al sugo di carne. Perché coprire la carne con una salsa?, si chiedevano. Decisi allora di dargliene una dimostrazione pratica. Ovviamente, non c'era una pentola adatta, dato che in genere la tribù si limitava a cuocere piccoli pezzi di carne, di solito posandoli sulla sabbia vicino alle braci ardenti. A volte, le porzioni più grosse venivano infilzate in un rametto a mo' di spiedo. Di tanto in tanto, poi, si cucinava una specie di stufato di carne, verdure, erbe e acqua. Guardandomi intorno, tuttavia, scovai una pelle d'animale liscia e priva di peli, e con l'aiuto di Maestra di Cucito ne piegai i bordi in modo da ricavarne una sorta di recipiente. Maestra di Cucito portava sempre appesa al collo una borsa con degli aghi fatti di osso e di tendini. Feci sciogliere il grasso animale nella nostra pentola, poi vi aggiunsi delle erbe finemente macinate, di cui un tipo salato, un peperoncino sbriciolato e infine l'acqua. Quando la salsa si fu addensata al punto giusto, la versai sui pezzetti di carne che erano stati serviti poco prima, appartenenti a una strana creatura che risponde al nome di clamidosauro, ossia lucertola col collare. Tutti quelli che assaggiarono il sugo si esibirono in commenti e mimiche inedite, ma senza sbilanciarsi, e in quel momento mi tornò in mente un episodio verificatosi circa quindici anni addietro.

Partecipavo al concorso di *Mrs. America*, e una delle prove consisteva nella creazione di una nuova ricetta. Per due settimane non feci che sperimentare nuovi piatti, che portavo in tavola perché i miei ne valutassero il sapore, l'aspetto e le caratteristiche. I miei figli non si tirarono mai indietro, ma in breve tempo divennero abilissimi nell'esprimere con garbo il loro parere. E sopportarono dei sapori davvero insoliti pur di aiutare la loro mamma! Quando mi aggiudicai il titolo di *Mrs. Kansas*, il loro grido di esultanza fu: "Abbiamo vinto la battaglia della casseruola!"

Ora rivedevo le stesse espressioni sul volto dei miei compagni di viaggio. Quasi tutto quello che facevamo era fonte di divertimento, e la preparazione del sugo di carne non fu da meno. Ma, data l'importanza che la ricerca spirituale assume in tutte le loro azioni, non rimasi sorpresa quando uno di loro stabilì una relazione simbolica tra il sugo e i valori dei Mutanti. Invece di praticare la verità, disse, i Mutanti permettono alle circostanze di seppellire la legge universale sotto un amalgama di materialismo, convenienza e insicurezza.

È interessante notare che non percepii nessuna delle loro osservazioni come una critica o un giudizio. La tribù non aveva mai rivendicato il possesso della verità a scapito del mio popolo. Piuttosto, il loro atteggiamento era simile a quello di un adulto amorevole davanti a un bambino che si sforza di infilare il piedino nella scarpa sbagliata. Chi può dire che non sarà in grado di camminare per chilometri e chilometri, pur avendo scambiato le scarpe? Forse anche vesciche e gonfiori possono insegnare qualcosa! E tuttavia a un essere umano più vecchio e più saggio questa sofferenza sembra inutile.

Parlai anche di torte di compleanno e di come fosse buona la glassa, e ancora una volta trovai perfetta la loro analogia. La glassa era il simbolo del tempo che nell'arco della loro vita i Mutanti sprecano perseguendo obiettivi superficiali, effimeri e di pura apparenza. Sono così pochi i momenti che ciascuno di noi dedica alla scoperta di ciò che realmente siamo e della nostra sostanza eterna!

Mi ascoltarono con interesse raccontare delle feste di compleanno, delle canzoni, dei regali e delle candeline che di anno in anno si aggiungono sulla torta. "Perché lo fate?" mi chiesero poi. "Per noi, una celebrazione è qualcosa di speciale, ma non c'è nulla di speciale nell'invecchiare. Non è necessario alcuno sforzo per riuscirci. Succede e basta!"

"Se non festeggiate il fatto di diventare più vecchi," replicai, "che cosa festeggiate, allora?"

"Il fatto di diventare migliori," fu la risposta. "Festeggiamo quando pensiamo di essere divenuti migliori e più saggi. Ma solo il diretto interessato può sapere quando questo accade, e sta a lui informare gli altri che è arrivato il momento di organizzare una festa." Ecco qualcosa che dovrò ricordare! pensai.

Non finivo mai di stupirmi dell'abbondanza di cibo a nostra disposizione in quella terra desolata, e della tempestività con cui si presentava quando ne avevamo bisogno. Nelle regioni aride sembra che non cresca nulla, ma è un'impressione ingannevole. Il terreno infatti è pieno di semi dal guscio molto resistente, che con l'arrivo delle piogge mettono radici. Il paesaggio allora si trasforma, benché bastino pochi giorni perché i fiori completino il loro ciclo vitale, i venti disperdano nuovamente i semi e la terra riacquisti il suo aspetto brullo e desolato.

Sparse nel deserto, nel nord e nelle zone più vicine alla costa, zone più tropicali ci fornirono pasti nutrienti nella forma di alcune varietà di fagioli. Trovammo anche frutta e del miele squisito con cui addolcire il nostro tè di corteccia di sassofrasso. Staccavamo dai tronchi il callistemone, e lo usavamo per ripararci e per avvolgere i cibi; masticato, è un ottimo rimedio contro i raffreddori di testa, le emicranie e la congestione delle mucose.

Le foglie di molti arbusti contengono oli medicinali in grado di combattere efficacemente le invasioni batteriche, in quanto agiscono come astringenti, liberano l'organismo dai parassiti e sconfiggono le infezioni intestinali. Il lattice, ossia il liquido contenuto negli steli e nelle foglie di alcune piante, serve a eliminare calli e verruche. Si conoscono persino degli alcaloidi, come il chinino. Quanto alle piante aromatiche, vengono spremute e immerse nell'acqua finché il lattice non cambia colore. Allora viene utilizzato per strofinare torace e schiena, oppure riscaldato per inalarne i vapori. A quanto pare, purifica il sangue, stimola il funzionamento delle ghiandole linfatiche e rafforza il sistema immunitario. C'è un piccolo albero molto simile al salice che presenta molte delle caratteristiche dell'aspirina. Lo si impiega come analgesico nelle distorsioni e nelle fratture, come pure per alleviare i dolori articolari, ed è efficace anche per le lesioni epidermiche. Ci sono poi le cortecce contro la dissenteria; dalla resina di certe varietà sciolta in acqua si ottiene un ottimo sciroppo per la tosse.

Nel complesso, questa particolare tribù gode di ottima salute. In seguito ho avuto modo di constatare che i petali di alcuni fiori che gli aborigeni masticano abitualmente costituiscono un'efficace prevenzione contro la febbre tifoidea; questa scoperta mi ha spinta a chiedermi se le sostanze contenute in quei fiori non servano a rafforzare il sistema immunitario, svolgendo cioè una funzione analoga a quella dei nostri vaccini. So per certo che la vescia australiana, un grosso fungo, contiene una sostanza anticancerosa chiamata *calvacina*, attualmente oggetto di ricerca. Gli aborigeni conoscono anche una sostanza antitumorale detta *acronicina*, che si ricava da una corteccia.

Sono passati secoli da quando essi hanno scoperto le curiose proprietà della mela selvatica detta canguro. La medicina moderna la utilizza per ottenere il solasodine, uno steroide impiegato nella contraccezione orale. L'Anziano mi disse che per loro era molto importante che ogni nuova vita portata nel mondo fosse desiderata e accolta con gioia. Fin dagli albori del tempo, per la tribù della Vera Gente, la procreazione è sempre stata un atto consapevole. La nascita di un bambino significa garantire a un'anima un corpo terreno. A differenza di quanto avviene nella nostra società, non ci si aspetta che i corpi vengano al mondo immacolati. È il gioiello invisibile ospitato al suo interno, che dev'essere senza macchia, e corpo e spirito contribuiscono in armonia al progetto comune a ogni anima, che è quello di progredire e migliorare.

Sentivo che se gli aborigeni avessero pregato nel modo in cui preghiamo noi, lo avrebbero fatto per i bambini non amati, non per quelli abortiti. L'Anziano mi confidò che la promiscuità di alcune tribù, i cui componenti avevano rapporti sessuali senza darsi pensiero delle nascite che sarebbero seguite, era forse la peggiore regressione che la razza umana avesse mai vissuto. Poiché credono che lo spirito entri nel feto quando questi comunica al mondo la sua presenza mediante il movimento, ai loro occhi un bambino nato morto è un bambino che non ha ospitato alcuno spirito.

La Vera Gente ha scoperto inoltre una qualità selvatica di tabacco che fumano con la pipa nelle occasioni speciali. Considerano tuttora il tabacco una sostanza rara e preziosa perché, oltre a scarseggiare nelle loro terre, può produrre una certa euforia e dare dipendenza. Nondimeno, è fumando che accolgono i visitatori o danno inizio a un raduno. Ho colto alcune analogie tra il loro atteggiamento nei confronti del tabacco e le tradizioni degli indiani d'America. I miei amici parlavano spesso della terra su cui camminiamo, ricordandomi che è formata dalle ossa polverizzate dei nostri antenati. Sostenevano che nulla muore realmente, ma che ogni cosa è sottoposta a una serie di trasformazioni. Il corpo umano, dicevano, non torna forse alla terra per nutrire le piante, che a loro volta permettono all'uomo di respirare? Sembravano molto più consapevoli dell'importanza delle preziose molecole di ossigeno ai fini della nostra sopravvivenza, di gran parte delle mie conoscenze negli Stati Uniti.

La tribù della Vera Gente gode di una vista straordinaria. Il pigmento detto rutina, contenuto in molte delle loro piante, è ampiamente utilizzato in oftalmologia per curare la fragilità capillare e i vasi sanguigni dell'occhio. Nel corso di millenni in cui l'Australia è appartenuta soltanto a loro, gli aborigeni hanno evidentemente scoperto le modalità con cui il cibo condiziona il benessere del corpo.

In fatto di alimentazione, una delle maggiori difficoltà che si incontrano nelle regioni selvagge è l'elevato numero di piante. Gli aborigeni però sanno riconoscere immediatamente ciò che è dannoso per la salute. Hanno imparato a eliminare le parti velenose di alcune piante, e fu con tristezza che mi raccontarono come alcune tribù che avevano assunto comportamenti aggressivi usassero il veleno contro gli esseri umani loro nemici.

Mi trovavo con il gruppo già da un certo tempo quando mi resi conto che gli aborigeni avevano accettato le mie continue domande, in quanto rappresentavano l'unico strumento di conoscenza a mia disposizione. Fu allora che affrontai la questione del cannibalismo. In proposito, avevo letto alcuni resoconti e ascoltato le battute scherzose dei miei amici australiani, secondo cui gli aborigeni mangiavano persino i loro figli. C'era qualcosa di vero in quelle voci?, domandai.

Sì. Sin dall'inizio del tempo gli esseri umani hanno sperimentato tutto lo sperimentabile. Neppure fra loro era stato possibile impedirlo. C'erano state tribù aborigene rette da sovrani o da donne, altre che rapivano i membri di altri gruppi e altre ancora che si nutrivano di carne umana. I Mutanti uccidono, e poi se ne vanno lasciando il corpo della preda a marcire. I cannibali uccidevano, ma per alimentare la vita. L'intento di un gruppo non è né peggiore né migliore di un altro. Che si uccida un essere umano per proteggersi, per vendicarsi, per interesse o per cibarsene, il risultato non cambia. È il non uccidere a distinguere la Vera Gente dai Mutanti.

"Non c'è moralità nella guerra," dissero. "Ma in una giornata i cannibali non uccidevano mai più di quanto potevano consumare. Nelle vostre guerre, bastano pochi minuti per provocare la morte di migliaia di persone. Forse varrebbe la pena di suggerire ai capi delle nazioni in guerra un accordo che preveda cinque minuti di combattimento, e quindi un'interruzione per permettere ai genitori di recarsi sul campo di battaglia a raccogliere ciò che resta dei loro figli per piangerli e seppellirli. Soltanto dopo potrebbero discutere l'opportunità di impegnarsi in battaglia per altri cinque minuti. È difficile cavare un senso da ciò che non è affatto sensato."

Quella notte, mentre giacevo sul sottile strato che separava la mia bocca e i miei occhi dal suolo sabbioso, pensai agli incommensurabili progressi compiuti per certi versi dall'umanità, e a come per altri aspetti essa fosse invece andata alla deriva.

Sepolta viva

*C*omunicare era tutt'altro che semplice. I vocaboli spesso molto lunghi dell'idioma indigeno erano difficili da pronunciare. Tanto per fare un esempio, un giorno mi parlarono di due tribù chiamate rispettivamente *Pitjantjatjara* e *Yiankuntjatjara*. Molti suoni sembravano identici e dovevo stare molto attenta per distinguerli fra loro. So che i giornalisti di tutto il mondo discutono sullo *spelling* delle parole aborigene. In alcuni vocaboli certi utilizzano le lettere "B, DJ, D e G" dove altri impiegano invece "P, T, TJ e K". La verità è che non esistono versioni giuste e versioni sbagliate, dato che gli aborigeni non hanno alfabeto. Si tratta, insomma, di una di quelle dispute destinate a non vedere alcun vincitore. Quanto a me, trovavo ostici soprattutto certi suoni nasali. Per rendere il suono "Ny", ad esempio, imparai a premere la lingua contro i molari. Provate a pronunciare la parola "Indian" e capirete cosa intendo. C'è inoltre un suono ottenibile sollevando la lingua e facendola schioccare rapidamente verso l'esterno. Quando cantano, gli aborigeni emettono spesso suoni morbidi e musicali, a cui fa seguito uno schiocco improvviso quanto sonoro.

La parola *sabbia* viene resa in più di venti modi diversi che descrivono la consistenza, le varietà e le caratteristiche del suolo nell'Outback. Le parole di facile pronuncia sono poche; una di queste è *kupi*, che significa acqua. I membri della tribù si divertivano a imparare i vocaboli inglesi, dimostrando un'attitudine per le lingue molto maggiore della mia. E, dato che ero loro ospite, facevo il possibile per facilitarli. Nei libri di storia fornitimi da Geoff avevo letto che ai tempi della colonizzazione inglese in Australia si parlavano duecento diversi idiomi aborigeni e seicento dialetti. Nessuno di quei testi accennava però alla comunicazione telepatica e gestuale. Da parte mia, utilizzavo una rozza versione del linguaggio dei segni in quanto, dato che i miei compagni comunicavano mentalmente o si raccontavano storie usando la telepatia, era senza dubbio più educato ricorrere ai gesti piuttosto che disturbare la persona che mi stava accanto parlando ad alta voce. Alcuni dei segni che usavamo erano universali: si flette un dito per dire "vieni qui", lo si accosta alle labbra per chiedere "silenzio" e si alza una mano per imporre *basta*. Nelle prime settimane che passai con la tribù, il silenzio mi venne imposto molto spesso, ma gradualmente imparai a non fare troppe domande e ad aspettare che fossero loro a rendermi partecipe di nuove conoscenze.

Un giorno scatenai l'ilarità generale grattandomi nel punto in cui un insetto mi aveva punto. Mi spiegarono poi che quel gesto serviva a segnalare l'avvistamento di un coccodrillo, e in quel momento eravamo a centinaia di chilometri dalla palude più vicina.

Eravamo in viaggio da parecchie settimane quando mi accorsi che numerose paia di occhi mi seguivano ogni volta che mi allontanavo dal gruppo. E più buia era la notte più grandi sembravano diventare quegli occhi. Finalmente, una sera si avvicinarono quanto bastava per permettermi di individuarli. Appartenevano a un branco di dingo che ci seguivano da presso.

Tornai al campo correndo, per la prima volta davvero

spaventata, e riferii la mia scoperta a Ooota che a sua volta ne parlò all'Anziano. Gli altri, intanto, ci si radunarono intorno, e io mi predisposi pazientemente all'attesa, perché ormai sapevo che dalle labbra degli appartenenti alla Vera Gente, le parole non sgorgano automatiche, ma solo dopo attenta riflessione. Avrei potuto lentamente contare fino a dieci prima che Ooota annunciasse che i dingo erano attirati dal mio odore, fattosi ormai intollerabile. Era vero, io stessa lo avvertivo e la loro espressione me lo diceva con altrettanta chiarezza. Sfortunatamente, non sapevo come rimediare. L'acqua era così scarsa che nessuno era disposto a sprecarla per un bagno, e naturalmente non c'erano vasche disponibili. Nessuno dei miei compagni neri puzzava quanto me e, poiché quell'inconveniente mi disturbava, anche loro ne erano infastiditi. Credo che il cattivo odore fosse dovuto in parte agli strati di pelle che continuavo a perdere e all'energia che il mio organismo utilizzava per bruciare i grassi tossici accumulati. Dimagrivo infatti di giorno in giorno. Ovviamente, il fatto di non avere a disposizione né deodorante né carta igienica contribuiva a peggiorare la situazione, ma c'era anche un altro fattore. Avevo infatti notato che i miei compagni si allontanavano per defecare poco dopo aver mangiato, e che i loro escrementi non avevano l'odore forte cui siamo abituati. Capivo che dopo cinquant'anni di alimentazione civilizzata, al mio organismo era necessario del tempo per disintossicarsi, ma sapevo anche che, se fossi rimasta nell'Outback, prima o poi sarebbe accaduto.

Non dimenticherò mai ciò che l'Anziano mi disse in quell'occasione. Non era per loro stessi che stavano in pena, dato che mi avevano accettata nel bene e nel male. Non erano neppure preoccupati per la nostra incolumità, bensì per quei poveri animali. Li stavo confondendo e, secondo Ooota, si erano convinti che la tribù si trascinasse dietro della carne marcia. Fui costretta a ridere perché il tanfo che emanavo ricordava davvero quello di un vecchio hamburger lasciato a imputridire al sole.

Dissi che avrei accettato con riconoscenza tutto l'aiuto che avrebbero potuto fornirmi, e così il giorno dopo, nell'ora più calda, scavammo una sorta di trincea in leggera pendenza dove io mi adagiai per farmi coprire di sabbia. Mi lasciarono scoperto solo il viso e, dopo aver provveduto a ripararmi dal sole, se ne andarono lasciandomi sola. Rimasi così per circa due ore, e posso assicurarvi che è davvero una strana sensazione quella di essere sepolti fino al collo, impossibilitati a muovere un solo muscolo e del tutto impotenti. Se mi avessero abbandonata, sarei diventata uno scheletro nel giro di pochissimo tempo. All'inizio, consideravo con preoccupazione la possibilità che una lucertola, un serpente o un topo, mossi dalla curiosità, venissero a zampettarmi sul viso, incuriositi. Per la prima volta in vita mia capii quello che deve provare un individuo paralizzato, quando il suo cervello invia alle braccia o alle gambe ordini che non vengono ascoltati. Ma una volta che mi fui rilassata ed ebbi chiuso gli occhi, concentrandomi sul pensiero delle tossine che il mio corpo stava espellendo, mentre al contempo assorbiva gli elementi rinfrescanti e detergenti del terreno, il tempo passò più in fretta. Ora posso dire di apprezzare senza riserve il vecchio detto *La necessità aguzza l'ingegno*.

Funzionò! Il cattivo odore rimase alle nostre spalle, nella sabbia.

Arti mediche

La stagione delle piogge era ormai prossima, e quel giorno individuammo una nuvola che rimase visibile per breve tempo. Uno spettacolo raro e assai apprezzato. Qualche volta ci capitò persino di camminare sotto grandi zone d'ombra, provando forse la stessa impressione di una formica quando zampetta all'ombra della suola di uno stivale. Com'era piacevole trovarsi fra adulti che non avevano perso la capacità di divertirsi propria dei bambini! Essi correvano per precedere l'ombra e poi emergere di nuovo nella luce vivida del sole, e deridevano le nubi sostenendo che le gambe del vento che le trasportava erano troppo lente. Poi tornavano nell'ombra e mi dicevano quale magnifico dono di aria fresca il divino Tutto ci aveva elargito. Fu una giornata spensierata e piena di allegria, ma nel tardo pomeriggio la tragedia si abbatté su di noi, o almeno così mi parve al momento.

C'era tra noi un uomo sui trentacinque anni il cui talento consisteva nello scoprire gemme preziose e di conseguenza portava il nome di Grande Cacciatore di Pietre. L'aggettivo era stato aggiunto solo di recente, perché nel corso degli anni egli aveva sviluppato la speciale capacità di scoprire meravigliosi opali di grandi dimensioni e addirittura pepite d'oro nelle miniere abbandonate dalle società minerarie. In passato, la Vera Gente considerava superflui i metalli preziosi; non erano commestibili, e in una cultura che ignora le leggi di mercato non servivano neppure per comprare del cibo. Il loro unico valore stava nella bellezza e nella possibilità di utilizzarli. Col tempo, tuttavia, gli indigeni scoprirono che l'uomo bianco attribuiva a essi un grande valore, circostanza, questa, persino più stupefacente della strana convinzione che si potesse possedere e vendere la terra. È con le pietre preziose che ora finanziano i ricognitori che periodicamente si recano in città e al ritorno fanno rapporto. Grande Cacciatore di Pietre non si avventura mai nei pressi delle miniere ancora in funzione, e questo perché la tribù non ha dimenticato che un tempo la sua gente era costretta a lavorarvi. I minatori scendevano in miniera il lunedì per uscirne solo alla fine della settimana, e su cinque di loro ne morivano quattro. Di norma, a finire nelle miniere erano uomini accusati di qualche crimine, per i quali il lavoro forzato costituiva parte della pena da scontare. C'erano inoltre delle quote da raggiungere, e spesso capitava che la moglie e i figli del prigioniero fossero costretti a lavorare con lui; a volte infatti accadeva che riuscissero in tre a svolgere il lavoro previsto per un solo individuo. Naturalmente non era difficile accusare il detenuto di qualche altra infrazione che comportava un prolungamento del periodo di prigionia, e spesso per quei poveretti non c'era via di scampo. E naturalmente questo sfruttamento era del tutto legale.

Quel particolare giorno, Grande Cacciatore di Pietre procedeva sull'orlo di un terrapieno quando il suolo cedette sotto i suoi piedi, precipitandolo su una superficie rocciosa circa sei metri più in basso. Ci trovavamo in una zona di lastroni di granito levigato dall'azione del tempo, rocce stratificate e ghiaioni.

Ormai le mie piante dei piedi si erano rivestite di una

callosità di spessore ragguardevole, simile a quella sorta di zoccolo che avevano i miei compagni, ma neppure questo era sufficiente a permettermi di camminare senza danni sui ciottoli aguzzi. I piedi erano il mio unico pensiero, mentre mi veniva in mente il mio mobiletto pieno di scarpe di ogni tipo, tra cui scarpette da corsa e pedule. Poi udii il grido di Grande Cacciatore di Pietre che precipitava nel vuoto e tutti ci assiepammo sull'orlo a guardare giù. Il giovane giaceva scompostamente al suolo, e sotto di lui si andava già formando una pozza di sangue scuro. Parecchi corsero giù nella gola facendo una catena e nel giro di qualche istante il ferito fu riportato su. Credo che non ci avrebbe messo di meno se avesse potuto risalire a volo. Ricordo che tutte quelle mani sotto il suo corpo mi fecero pensare ai cingoli di una catena di montaggio.

Quando il ferito venne adagiato sulla lastra di granito sulla cima, potemmo esaminarlo. Aveva una frattura multipla tra il ginocchio e la caviglia. Simile a un'enorme zanna, l'osso sporgeva dalla pelle color cioccolata per almeno cinque centimetri. Dopo avergli legato intorno alla coscia una fascia per capelli, Uomo di Medicina e Guaritrice andarono a mettersi ai due lati del paziente, mentre gli altri allestivano il campo per la notte.

Passo dopo passo, io finii col trovarmi vicinissima alla figura prostrata. "Posso guardare?" chiesi. Uomo di Medicina teneva le mani sopra la gamba ferita, senza toccarla, e le muoveva con lentezza su e giù: prima parallelamente, poi risalendo con una mano dal piede alla coscia e con l'altra dalla coscia al piede. Guaritrice mi sorrise e parlò a Ooota che tradusse: "Questo è compito tuo. Ci è stato detto che fra la tua gente il tuo talento è quello di guaritrice."

"Sì, immagino di sì," risposi. Non ho mai accettato del tutto l'idea che la guarigione sia opera del medico e della sua borsa piena di trucchi, perché anni addietro, quando dovetti combattere la mia battaglia contro la polio, avevo imparato sulla mia stessa pelle che la guarigione ha in realtà una sola causa. Il medico può contribuire al processo estraendo corpi estranei, iniettando farmaci, ricomponendo ossa fratturate, ma tutto questo non significa che alla fine il corpo guarirà. Di fatto, sono certa che in nessuna epoca della storia e in nessun luogo sia mai esistito un medico che abbia guarito qualcuno. Ciascuno è il guaritore di se stesso, mentre un dottore è tutt'al più un uomo che ha riconosciuto in se stesso un talento particolare, lo ha sviluppato e si è messo nelle condizioni di servire la comunità facendo ciò che sa fare meglio e che ama di più. Ma quello non era il momento adatto per intavolare una discussione, così presi per buone le parole di Ooota e affermai che, sì, nel mio mondo anch'io ero considerata una guaritrice.

Mi venne spiegato che i movimenti delle mani al di sopra dell'area interessata erano un modo per ricostituire la struttura originaria della gamba sana, e avrebbero eliminato i gonfiori che accompagnano la fase di guarigione. Uomo di Medicina si adoperava per rammentare all'osso il suo naturale stato di salute. In questo modo veniva rimosso lo shock della frattura creatasi quando l'osso era stato strappato dall'alveo in cui si trovava da più di trent'anni. In sostanza, Uomo di Medicina *parlava* all'osso.

Subito dopo, i tre protagonisti del dramma, Uomo di Medicina, Guaritrice e il paziente, cominciarono a salmodiare qualcosa che aveva tutta l'aria di una preghiera. Uomo di Medicina circondò con entrambe le mani la caviglia, ma non ebbi la sensazione che la toccasse né tanto meno che esercitasse una trazione. Guaritrice, intanto, faceva lo stesso intorno al ginocchio. Notai anche che ciascuno aveva intonato una diversa invocazione. Quando li sentii alzare la voce e gridare all'unisono qualcosa, ipotizzai che in quel momento stessero esercitando una qualche forma di trazione, benché non notassi alcun movimento. L'osso però era tornato al suo posto. Dopo aver accostato i bordi della ferita, Uomo di Medicina fece cenno a Guaritrice, la quale mise mano allo strano contenitore tubolare che portava sempre con sé.

Settimane addietro, quando le avevo chiesto che cosa usassero le donne della tribù durante il ciclo mestruale, mi aveva mostrato dei pannolini fabbricati con paglia, canne e piume d'uccello. Da allora, di tanto in tanto mi era capitato di seguire con gli occhi una donna che lasciava il gruppo e si allontanava nel deserto per cambiarsi. I pannolini sporchi venivano seppelliti proprio come accadeva con gli escrementi, al modo dei gatti. In alcune occasioni, tuttavia, avevo visto una di quelle donne tornare portando in mano qualcosa che poi consegnava a Guaritrice. Lei, a sua volta, scoperchiava il lungo tubo, rivestito con le foglie della pianta che aveva usato per curarmi i piedi e le ustioni, e vi introduceva il misterioso oggetto. Le poche volte che mi trovai vicino a lei mentre eseguiva tale operazione, avevo avvertito un fetore insopportabile. Infine scoprii che gli oggetti segretamente immagazzinati erano grossi grumi di sangue. Quel giorno, Guaritrice non scoperchiò il tubo, bensì lo aprì sul fondo. Non sentii alcun cattivo odore; anzi, non c'era nessun odore. Poi Guaritrice strizzò il tubo tra le mani, facendone uscire una sostanza simile al catrame, densa e lucente, che usò per saldare insieme i bordi frastagliati della ferita. Li incollò letteralmente, spalmando la sostanza su tutta la superficie offesa, senza utilizzare né bende, né punti di sutura, né stecche.

Di lì a poco tutto era finito e ci mettemmo a mangiare.

Durante la serata, a turno molti si presero in grembo la testa di Grande Cacciatore di Pietre, in modo che lui potesse guardarsi comodamente intorno. Quando toccò a me, gli tastai la fronte per sentire se era calda... e anche perché avevo una gran voglia di toccare la persona che mi aveva consentito di assistere a quella strabiliante dimostrazione di arti mediche. Il giovane sollevò la testa per guardarmi e ammiccò.

La mattina dopo, Grande Cacciatore di Pietre si alzò e camminò con noi. Non zoppicava neppure. Il rito che era stato celebrato, mi dissero, avrebbe ridotto il trauma osseo e prevenuto il gonfiore. Fu proprio così. Per parecchi giorni tenni d'occhio la gamba di Grande Cacciatore di Pietre e osservai la sostanza nera seccarsi e cadere via via. Nel giro di cinque giorni non ce n'era più traccia, e solo una leggera cicatrice indicava il punto in cui l'osso era fuoruscito. Grande Cacciatore pesava più di settanta chili; come riuscisse a camminare normalmente senza che l'osso uscisse dal suo alveo era un mistero di cui non riuscivo a capacitarmi. Sapevo già che i membri della tribù godevano di ottima salute, ma a quel punto era evidente che possedevano anche lo speciale talento di compiere interventi urgenti.

Ignoravano la biochimica e la patologia, ma potevano contare sulla verità e sulla determinazione e si impegnavano costantemente a star bene.

Guaritrice mi chiese: "Capisci quanto dura il sempre?"

"Sì, capisco."

"Ne sei certa?"

"Sì, lo capisco," ripetei.

"Allora possiamo dirti qualcosa di più. Tutti gli umani sono spiriti in visita su questo mondo. Tutti gli spiriti sono esseri eterni. Tutti gli incontri con altre persone sono esperienze e tutte le esperienze sono legami eterni. La vera gente chiude il cerchio di ciascuna esperienza. A differenza dei Mutanti, noi non lasciamo nulla in sospeso. Se tu te ne vai via ospitando nel tuo cuore sentimenti negativi verso un'altra persona e quel cerchio non viene chiuso, questo si ripeterà in altri momenti della tua vita. Non soffrirai una volta soltanto ma più e più volte finché non avrai imparato. È bene osservare e imparare a diventare più saggi in conseguenza di ciò che è accaduto. È bene rendere grazie, quello che tu chiami benedire, e allontanarsi in pace."

Non so se l'osso di quell'uomo guarì rapidamente o no. Non era possibile fare delle radiografie e lui era solo un uomo, non un superuomo, ma per me non aveva importanza. Non soffriva. L'incidente non aveva lasciato strascichi di sorta, e per quanto concerneva lui e gli altri l'esperienza era conclusa. Potevamo allontanarci in pace e, si spera, un po' più saggi. Il cerchio era chiuso. Non c'era bisogno di dedicare all'accaduto altre energie, altro tempo e altri pensieri.

Ooota mi spiegò che non erano stati loro a provocare l'incidente. Si erano limitati a chiedere che, se questo era previsto nell'ordine divino della vita universale, loro erano disposti a operare una guarigione perché io potessi testimoniarlo. Ignoravano in che modo ci sarebbe stata offerta tale opportunità, e a chi di loro avrebbe interessato, ma erano pronti a permettermi di fare quell'esperienza. Quando accadde, si sentirono ancora una volta grati per il dono che erano stati autorizzati a dividere con la Mutante.

Anch'io quella notte mi sentii riconoscente per essere potuta penetrare nelle menti vergini di quelle cosiddette creature non civilizzate. Avrei voluto imparare di più sulle loro tecniche di guarigione, ma non me la sentivo di aggiungere nuovi pericoli alle loro esistenze. Ai miei occhi, sopravvivere in quelle regioni costituiva già una sfida sufficiente.

Avrei dovuto sapere che potevano leggermi nella mente, e scoprire così ciò che desideravo prima ancora che parlassi. Quella sera discutemmo a lungo del legame tra il corpo fisico, la parte eterna del nostro essere, e un nuovo aspetto che fino a quel momento non era ancora stato menzionato, ossia il rapporto fra i sentimenti e le emozioni e la salute.

Essi credono che ciò che conta è il modo in cui ci rapportiamo emotivamente alle cose. Esso si imprime in ogni cellula del corpo, nella mente e nel nostro io eterno. Mentre alcune religioni sottolineano la necessità di dar da mangiare agli affamati e dar da bere agli assetati, questa tribù sostiene che il cibo e l'acqua offerti, e la persona che li riceve, non sono essenziali. Quel che conta, è il sentimento che si sperimenta nell'offrire con amore e senza riserve. Dare acqua e aiuto a una pianta o a un animale morenti è un passo avanti sulla via dell'illuminazione per conoscere la via e il nostro Creatore non meno di quanto lo sia dissetare o nutrire una persona assetata. Ogni uomo lascia questo piano di esistenza con, per così dire, un cartoncino segnapunti su cui è riportato momento per momento il modo in cui ha padroneggiato le proprie emozioni. Sono i sentimenti invisibili extrafisici che riempiono la parte eterna di noi a fare la differenza tra ciò che è buono e ciò che non lo è. L'azione non è altro che il canale attraverso cui il sentimento, lo scopo, trova la sua espressione.

Nel ricomporre la frattura di Grande Cacciatore di Pietre, i due guaritori avevano lavorato inviando al corpo pensieri di perfezione. Il paziente, da parte sua, era stato aperto e ricettivo, e aveva creduto in uno stato di guarigione totale e immediata. Ciò che ai miei occhi appariva miracoloso, per la tribù era la norma. Cominciai a chiedermi quanta della sofferenza fisica e spirituale che devasta gli Stati Uniti fosse dovuta a una programmazione emozionale, naturalmente a livello inconscio e non consapevole.

Cosa accadrebbe in America se i medici ponessero nella capacità di guarigione del corpo umano la stessa fede che hanno nei farmaci? Sempre più mi appariva evidente l'importanza del rapporto medico-paziente. Se il dottore non crede che il malato potrà riprendersi, questa convinzione potrebbe da sola vanificare i suoi sforzi. Da molto tempo ho scoperto che quando un medico dice a un paziente che non c'è cura per la sua malattia, ciò che realmente intende dire è che la sua preparazione non comprende nozioni terapeutiche da utilizzare in quella particolare circostanza. Se in tutto il mondo un solo individuo ha vinto la malattia davanti a cui lui si dichiara impotente, ciò significa che il corpo umano ha la capacità di farlo. Nella lunga discussione che ebbi con Uomo di Medicina e Guaritrice, scoprii una prospettiva della salute e della malattia del tutto nuova per me. "La guarigione non ha assolutamente nulla a che fare col tempo" mi fu detto. "Sia la guarigione sia la malattia si verificano in un istante." Ho interpretato così queste parole: il corpo è intero e sano a livello cellulare, poi, in una parte di una certa cellula in un istante avviene la prima anomalia o il primo sconvolgimento. Possono volerci mesi e addirittura anni prima che i sintomi vengano riconosciuti e il disturbo diagnosticato. Quanto alla guarigione, è il processo inverso. Si è ammalati, la nostra salute declina e, a seconda della società di cui facciamo parte, veniamo sottoposti a un certo trattamento. In un istante il corpo interrompe la caduta verso il basso e muove il primo passo verso la guarigione. La tribù della

Vera Gente non crede che noi siamo vittime casuali, ed è convinta che il corpo fisico sia l'unico mezzo che il nostro più elevato livello di consapevolezza eterna ha per comunicare con la nostra consapevolezza individuale. Un rallentamento nelle funzioni del corpo ci permette di esaminarci a fondo e di analizzare le ferite davvero importanti che bisogna medicare: rapporti interpersonali falsati, mancanza di un credo, tumori da paura, dubbi sul nostro Creatore, perdita della capacità di perdonare e così via.

Pensai ai medici americani che attualmente curano gli ammalati di cancro con l'evocazione di immagini mentali positive. Di norma non godono di grande popolarità fra i colleghi perché il campo che stanno esplorando è ancora troppo *nuovo*. Lì davanti a me c'era la prova di come una delle popolazioni più antiche del mondo utilizzasse tecniche che le sono state tramandate attraverso eoni di tempo e della cui efficacia è impossibile dubitare. E tuttavia noi, i cosiddetti uomini civilizzati, ci rifiutiamo di ricorrere al pensiero positivo nel timore che si riveli una moda passeggera, e cautamente concordiamo sull'opportunità di aspettare e vedere come funziona in pochi e selezionati contesti. Quando un Mutante gravemente ammalato ha ricevuto tutte le cure note al medico ed è ormai in punto di morte, il dottore dice alla famiglia di aver fatto tutto quanto era in suo potere. Quante volte avevo sentito dire: "Mi dispiace, ma non posso fare altro. Adesso è tutto nelle mani di Dio." Buffo come ora quelle parole suonassero bizzarramente antiquate alle mie orecchie.

Non credo che il popolo della Vera Gente possieda qualità taumaturgiche. Credo invece sinceramente che tutte le loro capacità possano essere spiegate con un'analisi scientifica. Semplicemente, noi ci adoperiamo per costruire macchine in grado di eseguire certe tecniche, mentre la Vera Gente ci dimostra che analoghi risultati sono ottenibili anche senza cavi elettrici.

L'umanità vaga e lotta senza sosta, ma nel continente australiano si praticano le tecniche terapeutiche più sofisticate a poche migliaia di chilometri da quelle, antichissime, che da sempre salvano vite umane. Forse un giorno le due scuole di pensiero si fonderanno e da questa fusione emergerà una conoscenza infinitamente più completa.

Che occasione per una celebrazione mondiale!

Totem

Durante il giorno il vento era cambiato, guadagnando in intensità, costringendoci a lottare contro le raffiche di sabbia che ci investivano senza tregua. Le nostre impronte svanivano all'istante, e io dovevo aguzzare gli occhi per riuscire a distinguere qualcosa in mezzo a quel turbinio di polvere rossa. Era come guardare attraverso un paio di lenti macchiate di sangue. Finalmente trovammo rifugio lungo il fianco di un crinale roccioso e lì ci accoccolammo avvolti nelle pelli. "Qual è esattamente il vostro rapporto con il regno animale?" domandai. "Gli animali sono i vostri totem, i simboli dei vostri antenati?"

"Noi tutti siamo una cosa sola," fu la risposta. "Apprendiamo la forza dalla debolezza."

Il falco bruno che ci seguiva, mi dissero ancora, rammentava al popolo che a volte crediamo soltanto in ciò che vediamo davanti a noi. Ma se solo ci librassimo più in alto, scopriremmo che il quadro generale è molto più ampio. Mi dissero che i Mutanti morti nel deserto perché non vedono l'acqua e si arrabbiano e cadono in preda allo sconforto, in realtà muoiono per cause emotive.

La Vera Gente crede che il genere umano abbia ancora molto da imparare e una lunga evoluzione da compiere prima di diventare una sola famiglia. Per la tribù, l'universo è un progetto ancora in divenire; quanto agli umani, sembrano troppo occupati a esistere per diventare *esseri*. Mi parlarono del canguro, animale silenzioso e solitamente gentile che può raggiungere e superare i due metri d'altezza e ha il pelo di tutti i colori della terra, dal morbido grigio argento al rosso rame. Alla nascita, il canguro rosso ha le dimensioni e il peso di un fagiolo, ma con la maturità raggiunge dimensioni imponenti. I membri della tribù credono che i Mutanti diano troppa importanza alla forma del corpo e al colore della pelle. La lezione più importante insegnata dal canguro è che non può camminare a ritroso. Al canguro questo non è possibile; deve sempre andare avanti, a costo di muoversi in cerchio! La sua lunga coda è come il tronco di un albero, e sostiene il peso dell'intero corpo. Sono in molti a sceglierlo come totem, perché avvertono con lui una reale affinità, oltre al bisogno di equilibrare la propria personalità. Mi piacque l'idea di guardarmi indietro e pensare che, anche quando avevo apparentemente commesso degli errori o fatto scelte perdenti, a un certo livello del mio essere avevo fatto invece tutto ciò che potevo in quella circostanza, e che nessuna di quelle azioni rappresentava una regressione. Il canguro, inoltre, controlla la propria capacità riproduttiva e cessa di moltiplicarsi quando le condizioni ambientali lo richiedono.

Anche la muta dei serpenti è molto istruttiva. Un individuo ha fatto della sua vita un uso ben cattivo se ciò che crede all'età di sette anni è ancora ciò che sente a trentasette. È necessario liberarsi delle vecchie idee, delle vecchie abitudini e delle vecchie opinioni, a volte anche dei vecchi compagni. Spesso è molto difficile per un uomo lasciar andare qualcosa che gli appartiene, ma il serpente non è da considerarsi migliore o peggiore solo perché si libera della vecchia pelle. Compie semplicemente un'azione necessaria. Solo liberandosi delle cose vecchie si fa spazio alle nuove, ed è un fatto che il serpente sembra e si sente più giovane quando si libera del suo vecchio bagaglio. Naturalmente non *è* più giovane, e i miei amici risero di quest'idea perché ai loro occhi il tener conto degli anni che passano è un'assurdità. Il serpente è un maestro di fascino e potere, due qualità positive che possono diventare distruttive quando si fanno predominanti. Ci sono molti serpenti il cui veleno può venire usato per uccidere ma, come accade per molte altre cose, esso può essere impiegato anche per scopi degni, ad esempio per aiutare chi cade in un formicaio oppure chi è assalito da vespe o api. Il popolo della Vera Gente rispetta il bisogno di solitudine del serpente perché è lo stesso bisogno che a volte ciascuno dei suoi componenti avverte.

L'emu è un grosso uccello senza ali. Mangiatore di frutta, contribuisce al diffondersi delle piante da frutto perché, mentre si sposta, con le feci si libera dei semi. Depone inoltre un grosso uovo nero e verde, che è un totem di fertilità.

Un altro animale molto caro alla tribù della Vera Gente, benché ormai succeda di rado che si spinga fino al mare, è il delfino: è stata la prima creatura con cui hanno sperimentato la comunicazione mentale, e quale animale può insegnare meglio di lui che la vita è fatta per essere libera e felice? Proprio da questo maestro di giochi i membri della tribù hanno imparato che non esiste competizione, né vincitori, né vinti, ma solo divertimento per tutti.

Il ragno esorta a non essere avidi, dimostrando con la sua tela che gli oggetti necessari possono anche essere belli e artistici. Inoltre, ci mette in guardia dall'amare troppo se stessi.

Esaminammo quindi le lezioni della formica, del coniglio, della lucertola, persino quella del *brumbie,* il cavallo selvatico australiano. Quando accennai a certi animali in via di estinzione, mi chiesero se i Mutanti non capivano che la fine di una specie è un ulteriore passo avanti verso la fine della razza umana.

Finalmente la tempesta di sabbia cessò e potemmo uscire dai nostri ripari. Fu allora che seppi che i miei amici avevano scelto l'animale con cui avevo maggiori affinità. La decisione era stata raggiunta osservando la mia ombra, i miei gesti e l'andatura che avevo acquisito dopo che lo strato calloso mi aveva rafforzato i piedi. Dissero che ne avrebbero disegnato l'immagine sulla sabbia, e usarono le dita e gli alluci come matite mentre il sole splendeva come un riflettore davanti a me. Comparvero i contorni di una testa a cui qualcuno aggiunse due piccole orecchie arrotondate. Toccò quindi al mio naso di venire riprodotto sulla sabbia. Donna dello Spirito disegnò gli occhi e mi disse che avevano il colore dei miei. Aggiunsero poi delle macchie che scherzosamente paragonarono alle mie lentiggini. "Non conosciamo quest'animale," dissero infine. "In Australia non esiste." Ma sapevano che di quella specie, forse mitica, era la femmina a cacciare, e che viaggiava sola e senza timori. Anteponeva il benessere dei cuccioli alla sua stessa vita, e a quella del suo compagno. Poi Ooota concluse con un sorriso: "Quando le sue necessità sono soddisfatte quest'animale è gentile, ma in caso contrario non esita a usare i suoi denti aguzzi".

Abbassai gli occhi sul disegno e riconobbi un ghepardo. "Sì," dissi. "Conosco quest'animale." E davvero non mi fu difficile riconoscermi in molte delle abitudini di quel grosso felino.

Ricordo ancora la quiete infinita di quella notte; anche il falco bruno, pensai, si stava sicuramente riposando.

Una falce di luna era sospesa nel cielo senza nubi quando mi resi conto che la giornata era trascorsa come se avessimo parlato invece di camminare.

Uccelli

Quella mattina fu Sorella degli Uccelli a mettersi al centro del cerchio di preghiera. Si offriva di mettere la sua capacità a disposizione del gruppo, se questo era per il bene di tutti. E in questo caso, il divino Tutto avrebbe provveduto. Ormai da due o tre settimane non vedevamo altri uccelli se non il mio fedele amico, il falco dalle ali scure e vellutate che scendeva in picchiata sul nostro gruppo, ogni volta avvicinandosi un poco di più alla mia testa.

Erano tutti molto eccitati dalla cosa, e anch'io ormai ero pronta a credere che gli uccelli sarebbero magicamente comparsi dal nulla, se era inteso che questo dovesse accadere.

La luce aranciata del sole inondava per metà il fianco delle colline lontane quando li vedemmo avvicinarsi. Era uno stormo di uccelli variopinti, più grossi dei perrocchetti che un tempo tenevo in gabbia, ma dai colori altrettanto vari, e così numerosi da oscurare completamente il cielo azzurro. Improvvisamente il suono sibilante dei boomerang andò a fondersi col cinguettio dei volatili. Ebbi quasi l'impressione che gli uccelli gridassero con insistenza: "Io, io, io". Caddero dal cielo in gruppi di due o tre, e nessuno di loro ebbe a soffrire, perché morirono all'istante.

Quella notte ci godemmo un pasto squisito, e le piume multicolori vennero distribuite fra i membri del gruppo che ne fecero fasce per capelli, leggere corazze e pannolini da usare durante il periodo mestruale. Mangiammo la carne, ma i cervelli vennero messi da parte; una volta secchi, sarebbero stati mescolati a erbe medicinali o ad acqua e olio. I pochi avanzi vennero lasciati ai dingo selvatici che di tanto in tanto ci seguivano per un tratto di strada.

Nulla venne sprecato, tutto fu riciclato perché tornasse alla natura e alla terra. Il nostro fu un picnic che non lasciò rifiuti; come sempre accadeva, sarebbe stato difficile individuare il punto in cui ci eravamo accampati per mangiare.

I miei amici erano maestri nel fondersi con l'universo, utilizzarlo e quindi abbandonarlo senza averlo turbato in alcun modo.

Lezioni di cucito

Il nostro pasto giornaliero era finito. Il falò non era ormai che un letto di braci ammiccanti, e soltanto qualche rada scintilla saliva ancora verso il cielo. Parecchi di noi si erano seduti in cerchio intorno al fuoco languente. Come molte tribù pellerossa, la Vera Gente crede che sia molto importante osservare gli altri quando si sta seduti in cerchio, e soprattutto la persona che siede di fronte a te, poiché essa è il tuo riflesso in spirito. Ciò che vedi e che ammiri in lei, sono qualità che ti appartengono e che vorresti enfatizzare. Le azioni, i comportamenti e le caratteristiche fisiche che non ti piacciono, sono aspetti del tuo io che richiedono da parte tua un ulteriore lavoro di perfezionamento. Non si può cogliere ciò che si ritiene giusto o sbagliato negli altri se non si possiedono gli stessi punti di forza e le stesse debolezze su un identico livello dell'essere. Solo il grado di autodisciplina e di autoespressione è diverso. Gli appartenenti alla tribù credono che una decisione autonoma sia l'unico modo che un uomo ha di modificare veramente alcuni aspetti di sé, e che tutti possiedano la capacità di modificare a piacimento qualunque aspetto della propria personalità. Non c'è limite a quello che di noi stessi possiamo abbandonare, né a quello che possiamo acquisire. Credono inoltre che l'unica vera influenza che esercitiamo sugli altri scaturisca dal modo in cui ci comportiamo e da quello che facciamo. Con tali convinzioni, è solo naturale che i membri della tribù si impegnino ogni giorno a essere persone migliori.

Ero seduta di fronte a Maestra di Cucito, che con la testa china si dedicava con grande impegno al suo lavoro. Poche ore prima Grande Cacciatore di Pietre si era rivolto a lei dopo che il recipiente per l'acqua che portava alla cintura era caduto a terra. Non era stata però la vescica di canguro a cedere, bensì la cinghia di pelle con cui era legata.

Quando Maestra di Cucito tagliò il filo naturale di cui si serviva, notai che i suoi denti erano levigatissimi e lunghi la metà di quanto erano stati originariamente. Alzando la testa, mi disse: "È interessante, i Mutanti e l'invecchiamento. I lavori per cui uno diventa troppo vecchio. Utilità limitata".

"Non si è mai così vecchi da non valere nulla," replicò qualcuno.

"Sembra che il commercio sia diventato un pericolo per i Mutanti. Avete cominciato a commerciare perché la gente potesse ottenere collettivamente prodotti migliori di quelli che il singolo poteva procurarsi, e per esprimere il talento individuale e permettere a ciascuno di diventare parte del vostro sistema economico. Ma ora l'obiettivo del commercio è di restare negli affari, e a noi questo sembra molto strano perché vediamo il prodotto per quello che è, e le persone per quello che sono, ossia una realtà, mentre affari e commercio non sono reali. Un affare è soltanto un'idea, il frutto di un accordo, e tuttavia l'obiettivo del fare affari è di restare a tutti i costi in affari. Sono idee difficili da capire," commentò Maestra di Cucito.

Allora volli spiegare il sistema della libera impresa, la proprietà privata, le società per azioni, le azioni e le obbligazioni, il sussidio di disoccupazione, la previdenza sociale e i sindacati. Raccontai quello che sapevo del governo russo, e delle differenze tra l'economia cinese e quella giapponese. Poiché avevo tenuto conferenze in Danimarca, in Brasile, in Europa e nello Sri Lanka, potei parlare anche di ciò che sapevo della vita di quei paesi.

Discutemmo di industria e di produzione, e loro ammisero che le automobili erano utili strumenti di trasporto. Ma trasformarsi in schiavi per poterle pagare, rischiare di finire coinvolti in incidenti che spesso generano nuove inimicizie, e dividere la poca acqua del deserto con quattro ruote e un sedile, non erano a loro avviso cose a cui valesse la pena di interessarsi. E poi, loro non hanno mai fretta.

Guardai di nuovo Maestra di Cucito. Erano molti i tratti di lei che ammiravo. Conosceva a fondo la storia del mondo ed era bene informata anche sugli eventi attuali, benché non sapesse leggere né scrivere. Era creativa. Avevo notato che si era offerta di riparare la borsa dell'acqua di Grande Cacciatore di Pietre prima che lui glielo chiedesse. Aveva uno scopo ben preciso e per quello scopo viveva. Dunque, ancora una volta gli aborigeni avevano ragione: si può imparare molto osservando la persona che ci siede di fronte.

Ma che cosa pensava lei di me? Quando formavamo un cerchio, c'era sempre qualcuno che si sedeva davanti a me, ma non c'era mai una corsa per prendere quel posto. Sapevo che una delle mie maggiori pecche stava nel fatto che facevo troppe domande. Invece dovevo ricordare che mi trovavo con persone sempre pronte a condividere le proprie conoscenze, e che al momento giusto avrei saputo tutto quello che desideravo sapere. Probabilmente per loro ero una specie di bambina pestifera.

Quando arrivò l'ora di dormire, riflettevo ancora sulle osservazioni di Maestra di Cucito. Gli affari non sono una realtà ma solo degli accordi, e tuttavia l'obiettivo è di restare in affari, a prescindere dalle conseguenze che questo può avere sulle persone, sul prodotto e sui servizi! Un'osservazione decisamente perspicace, venendo da qualcuno che non aveva mai letto un giornale, né visto la televisione o ascoltato la radio. In quel momento desiderai che tutto il mondo potesse ascoltare le parole di quella donna.

Forse, invece di definire Outback quella regione, avremmo dovuto imparare a considerarla il centro della partecipazione umana.

La musica come medicina

Parecchi componenti del gruppo possedevano la medicina della musica. Per la precisione, *medicina* era la parola che a volte veniva usata nella traduzione, ma non si riferiva soltanto alla disciplina che studia e cura le malattie. Era *medicina* tutto ciò che contribuiva al benessere del gruppo. Ooota mi spiegò che era un bene avere il talento, o la medicina, per aggiustare le ossa rotte, ma che non era né più né meno importante del sentire un'affinità con la fecondità o le uova. Entrambe erano qualità necessarie, ed entrambe assolutamente personali. Mi dichiarai d'accordo, rallegrandomi al pensiero di un prossimo pasto a base di uova.

Quel giorno, seppi, si sarebbe tenuto un grande concerto. Tra i nostri pochi beni non figuravano strumenti musicali, ma ormai già da tempo avevo smesso di chiedermi come e dove sarebbero comparsi gli oggetti necessari alle attività della tribù.

Nel pomeriggio, mentre attraversavamo un canyon, avvertii una crescente eccitazione fra i miei compagni. Il canyon era angusto, largo meno di una quarantina di metri e con pareti che svettavano per oltre cinquanta. Ci accampammo per la notte, e mentre alcuni preparavano il pasto a base di verdure e insetti, i musicisti allestirono la strumentazione. Recisero la cima di certe piante a forma di barile e ne estrassero l'umido cuore color zucca, che tutti succhiammo. I larghi semi che costellavano la polpa vennero messi da parte. Le pelli più lisce e prive di peli tra quelle che portavamo con noi vennero drappeggiate sulle piante per diventare, una volta legate, incredibili strumenti a percussione.

Poco lontano giaceva un albero morto, con i rami svuotati dalle termiti. Uno dei rami venne spezzato e, dopo aver eliminato gli insetti, gli aborigeni provvidero a conficcarvi a più riprese un bastone, fino a espellerne il nucleo morto e friabile; ebbero così a disposizione una lunga tuba. Mentre li guardavo, avevo la sensazione di assistere alla fabbricazione della tromba dell'arcangelo Gabriele. Più tardi, scoprii che gli australiani chiamano quello strumento *didjeridoo*; se ci si soffia dentro, emette un suono basso e melodioso.

Uno dei musicisti cominciò a battere insieme dei bastoncini, mentre un altro dava il ritmo con due grossi sassi. Alcuni frammenti di roccia scistosa appesi a dei fili producevano un allegro tintinnio. Un uomo fabbricò un *muggito di toro*, un pezzo di legno piatto attaccato a uno spago che, se fatto roteare, emette una sorta di ruggito. Erano tutti abilissimi nel calibrare il volume di quell'insolita musica; inoltre, la conformazione del canyon dava vita a vibrazioni ed echi di grande suggestione. Il termine concerto non avrebbe potuto essere più appropriato.

Le canzoni che gli aborigeni cantavano, a volte singolarmente e a volte in coro, erano antiche come il tempo e nate lì nel deserto, prima dell'invenzione del calendario. Ma ascoltai anche composizioni nuove, musica creata per onorare la mia presenza. Mi dissero: "Come un musicista cerca l'espressione musicale, così la musica dell'universo anela a essere espressa".

In mancanza di un linguaggio scritto, fra gli aborigeni

la conoscenza viene tramandata di generazione in generazione sotto forma di canti e danze. Non c'è evento storico che non possa essere raffigurato con un disegno sulla sabbia, messo in musica o tramutato in dramma. I membri della tribù fanno musica ogni giorno perché è necessario mantenere freschi i ricordi, e la narrazione della loro storia richiede circa un anno. Se ciascun avvenimento fosse stato dipinto e i dipinti disposti per terra in ordine cronologico, si avrebbe una raffigurazione del mondo così come è stato negli ultimi milleni.

Ma la vera scoperta stava nella pienezza con cui questa gente vive la propria vita, una pienezza che tuttavia non implica alcun attaccamento alle cose materiali. Al termine del concerto, gli strumenti vennero restituiti alla natura. I semi furono piantati perché potessero generare nuove piante e sulla parete rocciosa vennero tracciati dei segni per indicare ad altri viaggiatori la presenza di cibo. I musicisti abbandonarono bastoni e sassi, ma non la gioia della composizione creativa, che rafforzava in ciascuno di loro la consapevolezza della propria capacità e del proprio valore. Un musicista porta la musica dentro di sé. Non ha bisogno di uno strumento, perché è lui stesso la musica.

Quel giorno imparai anche che ognuno di noi ha il potere di plasmare la propria vita in perfetta autonomia. Possiamo arricchire le nostre esistenze ed essere creativi e felici nella misura in cui ci permettiamo di esserlo. Compositore e musicisti si allontanarono a testa alta. "Gran bel concerto," commentò uno di loro. "Uno dei migliori," fu la risposta. Poi: "Credo che fra non molto cambierò il mio nome da Compositore a Grande Compositore".

La sua non era vanità. Semplicemente, come i suoi compagni anche lui conosceva i propri talenti e l'importanza di condividere e sviluppare i molteplici prodigi che ci sono elargiti. C'è un legame importante fra il riconoscimento del proprio valore e il rito dell'attribuzione a se stesso di un nuovo nome.

Gli aborigeni sostengono di aver vissuto qui da sempre e gli scienziati sanno che abitano l'Australia da almeno cinquantamila anni. È davvero sorprendente che dopo cinquantamila anni la Vera Gente non abbia distrutto le foreste, inquinato i corsi d'acqua, messo in pericolo alcuna specie vivente e causato alcuna contaminazione, senza restare mai a corto di cibo e riparo. Hanno riso molto e pianto pochissimo. Vivono un'esistenza lunga, produttiva e sana, e la abbandonano pieni di fiducia.

Gli acchiappasogni

C'era eccitazione nell'aria mentre come sempre ci volgevamo a oriente. Solo una lieve pennellata di colore annunciava l'alba imminente. Quando l'Anziano ebbe concluso il suo rituale mattutino, fu Donna dello Spirito a mettersi al centro.

Donna dello Spirito e io avevamo molte caratteristiche fisiche in comune. Dopo tutto, lei era l'unica aborigena della tribù a pesare più di sessanta chili anche se io, grazie al caldo e alle marce quotidiane, stavo perdendo rapidamente peso. Di strati adiposi me ne restavano tuttavia a sufficienza perché potessi godermi l'idea del grasso che mi si scioglieva addosso e finiva sulla sabbia ai miei piedi.

Donna dello Spirito tese le mani sopra la testa e offrì il suo talento all'invisibile pubblico che assisteva dal cielo, aprendosi a essere mezzo di espressione del divino Tutto, se questo avesse deciso di operare tramite lei. Desiderava dividere il suo talento con me: la Mutante che il gruppo aveva adottato per quella marcia, e, conclusa la supplica, rese grazie sonoramente e con enfasi. I suoi compagni la imitarono manifestando la loro gratitudine per i doni non ancora palesi della giornata. Normalmente, la cerimonia si svolgeva in silenzio e le comunicazioni avvenivano mentalmente, ma per riguardo a me, che ero una novizia della telepatia e un'ospite, quel giorno avevano cortesemente tenuto conto dei miei limiti.

Quel giorno camminammo fino al tardo pomeriggio. Sulla nostra via la vegetazione era scarsissima, e per me era pur sempre un sollievo non essere continuamente trafitta dagli spini.

Il silenzio si ruppe quando qualcuno individuò un boschetto di alberi nani. Erano piante dall'aspetto bizzarro, con il tronco che si allargava verso l'alto a formare una sorta di gigantesco cespuglio. Questo era quanto Donna dello Spirito aveva chiesto e previsto.

La notte prima, mentre eravamo seduti intorno al fuoco, lei e altre donne avevano scelto una pelle sottile e vi avevano cucito un robusto bordo, così da dargli la forma approssimativa di un tamburello. Una volta tanto, non le avevo interrogate sulle loro intenzioni; sapevo che al momento giusto le avrei conosciute.

Donna dello Spirito mi prese la mano e mi guidò verso gli alberi. Indicava qualcosa, ma in un primo momento non vidi nulla e ci volle un po' di tempo perché mi accorgessi della gigantesca ragnatela. Era spessa e lucente, formata da centinaia e centinaia di fili; quasi ogni albero, notai, ne ospitava una. Donna dello Spirito parlò a Ooota che mi esortò a sceglierne una. Non mi fornì altre indicazioni, ma ormai avevo capito che gli aborigeni sono soliti farsi guidare dall'intuito, e feci altrettanto.

Dopo che ebbi indicato una ragnatela, la mia compagna prese dalla borsa che portava alla vita un olio aromatico e ne cosparse il tamburello. Staccò le foglie che crescevano dietro la ragnatela e dietro di essa collocò il tamburello; poi con una rapida mossa lo tirò verso di sé in modo che i sottili filamenti argentei aderissero ed emerse con la ragnatela perfettamente incorniciata. Anche qualcun altro si fece avanti a scegliere una ragnatela, che poi le donne provvidero a catturare e racchiudere nelle loro improvvisate cornici.

Mentre giocavamo così, il resto della tribù aveva acceso il fuoco e raccolto il cibo per il pasto serale, che includeva molti dei grossi ragni visibili sugli alberi nani, alcune radici e un nuovo tubero che non avevo ancora assaggiato e dal gusto simile alla rapa.

Dopo aver mangiato, ci radunammo tutti insieme come facevamo ogni sera, e Donna dello Spirito mi parlò del suo talento. Ogni essere umano è unico, e a ciascuno vengono donate qualità eccezionalmente sviluppate, suscettibili di evolversi in specifici talenti. Lei contribuiva alla vita della comunità catturando i sogni. Tutti sognano, disse, ma non tutti si curano di ricordare i propri sogni o di trarne insegnamento. "I sogni sono l'ombra della realtà," affermò Donna dello Spirito. Tutto ciò che esiste lo si può trovare anche nel mondo dei sogni. Lì ci sono tutte le risposte. Le ragnatele raccolte venivano impiegate nel corso di una cerimonia con danze e canti in cui la tribù chiedeva all'universo di guidare i suoi sogni. Toccava poi a Donna dello Spirito decifrarne il messaggio.

Capii che per loro il termine *sognare* equivaleva a molteplici livelli di coscienza. C'è il sogno legato al sonno, il sogno che ci permette di astrarci dal corpo, come avviene per esempio durante una profonda meditazione, e così via.

La tribù utilizza gli acchiappasogni per averne orientamento e guida in ogni situazione. Se desiderano essere aiutati a capire un rapporto interpersonale, una faccenda di salute o lo scopo nascosto dietro una certa esperienza, cercano la risposta nei sogni. I Mutanti conoscono solo un modo per accedere al sogno, ed è il sonno, ma la Vera Gente sa raggiungere la consapevolezza propria dei sogni anche da sveglia. Senza utilizzare droghe, e limitandosi a tecniche di respirazione e di concentrazione, mantiene un grado di coscienza anche nel mondo dei sogni.

Venni quindi invitata a danzare con l'acchiappasogni. Uno dei metodi più efficaci consiste nel concentrarsi sulla domanda che vogliamo porre e formularla mentalmente più e più volte mentre si gira vorticosamente su se stessi. Secondo gli aborigeni, questo esercizio accresce i vortici di energia in sette punti chiave del corpo. Dopo tutto, non si deve far altro che roteare sempre verso destra con le braccia tese.

Quando la testa cominciò a girarmi, sedetti a riflettere sugli straordinari mutamenti intervenuti nella mia vita. Chi avrebbe pensato che sarei finita in una regione che non conta neppure un abitante per chilometro quadrato ed è tre volte più estesa del Texas, a roteare come un derviscio, scalciando sulla sabbia e facendo vibrare senza posa l'aria attorno al mio acchiappasogni?

La gente delle tribù non sogna di notte, a meno che non lo voglia. Il sonno per loro è un momento destinato al riposo e all'accumulo di nuove forze, e non dev'essere sprecato in attività diverse. Secondo loro, il motivo per cui i Mutanti sognano di notte è che nella nostra società non ci è consentito farlo durante il giorno, e soprattutto le fantasticherie a occhi aperti sono del tutto fraintese.

Arrivò l'ora di andare a dormire. Lisciai la sabbia con le mani e mi sdraiai usando le braccia come cuscino. Qualcuno mi tese dell'acqua e mi disse di berne la metà e di conservare il resto per l'indomani mattina. Questo mi avrebbe aiutata a ricordare nei particolari i miei sogni. La domanda che più mi premeva era quella che avevo posto durante la danza. Quando il viaggio si fosse concluso, che cosa avrei dovuto fare delle informazioni che mi erano state date?

Il mattino dopo, Donna dello Spirito mi invitò tramite Ooota a rievocare il mio sogno. Poiché esso non conteneva alcun riferimento all'Australia, ero convinta che non sarebbe riuscita a interpretarlo, ma glielo raccontai comunque. A lei però interessava soprattutto sapere quali emozioni erano legate agli oggetti e alle cose comparse nel mio sogno. E mi aiutò a compiere un lavoro di introspezione davvero sorprendente, considerato che ciò che avevo sognato le era del tutto estraneo.

Appresi così che nella mia vita ci sarebbero state tempeste, e che mi sarei allontanata da persone e cose in cui avevo investito tempo ed energie, ma ora sapevo che cosa significava essere in pace con se stessi e possedere la capacità di attingere da una particolare emozione in qualunque momento ne provassi il desiderio o il bisogno. Appresi che potevo vivere più vite nell'arco di una, e che avevo già sperimentato la chiusura di una porta, vale a dire un momento in cui mi erano diventati intollerabili le persone, i luoghi, i valori e le credenze in mezzo a cui vivevo. Per la crescita della mia anima avevo gentilmente chiuso una porta ed ero entrata in un luogo nuovo, in una vita nuova che equivaleva a salire di un gradino sulla scala della spiritualità. Quel che contava di più, era che non avrei dovuto far nulla di quell'informazione. Vivere secondo i principi che ora mi apparivano veritieri sarebbe stato sufficiente per sfiorare l'esistenza di coloro che ero destinata a sfiorare. Le porte si sarebbero aperte. Dopotutto non era *quello* il mio messaggio: io ero semplicemente la sua latrice.

Mi chiesi se qualcuno di coloro che avevano danzato con l'acchiappasogni avrebbe raccontato i suoi sogni, e Ooota, che mi aveva letto nella mente, disse: "Sì, Fabbricatore di Utensili vorrebbe parlare". Fabbricatore di Utensili era un uomo anziano, abilissimo nel realizzare non solo utensili, ma anche pennelli, attrezzatura da cucina e ogni sorta di oggetti utili. La sua domanda riguardava i dolori muscolari che lo tormentavano. In sogno aveva visto una testuggine che emergendo scopriva di aver perso entrambe le zampe su un lato e di essersi inclinata su un fianco. Come aveva fatto con me, Donna dello Spirito lo aiutò a interpretare il sogno e Fabbricatore di Utensili finì col concludere che per lui era arrivato il momento di trasmettere ad altri le sue capacità. Un tempo aveva amato la responsabilità che derivava dall'essere un grande artigiano, ma ora ne ricavava più tensione che piacere, e il sogno aveva voluto indicargli la necessità di un cambiamento. Si era inclinato su un lato, e la sua vita non era più in perfetto equilibrio tra lavoro e gioco.

Nei giorni che seguirono lo vidi impegnato a insegnare, e quando mi informai sulla sua salute il suo viso grinzoso si aprì in un sorriso mentre rispondeva: "Quando il pensiero si fa più flessibile, anche le articolazioni diventano flessibili. Non soffro, non più".

Una sorpresa a cena

Fu durante il rituale mattutino che parlò il Congiunto dei Grandi Animali. I suoi fratelli volevano essere onorati, annunciò, e tutti riconobbero che già da qualche tempo non ne avevano più sentito parlare.

In Australia, a differenza dell'Africa, dove ci sono elefanti, leoni, giraffe e zebre, gli animali di grossa taglia sono rari. Per questo ero molto curiosa di vedere che cosa avesse in serbo per me l'universo.

Quel giorno camminammo di buona lena. Il caldo sembrava meno intenso, e la temperatura doveva essere scesa sotto i quaranta gradi. Guaritrice mi spalmò il viso, il naso e la sommità delle orecchie con una densa pomata a base di olio di lucertola e olio vegetale. Ormai avevo perso il conto degli strati di pelle che avevo perso, e quasi temevo di restare senza orecchie perché l'ustione non accennava a guarire. Donna dello Spirito venne in mio soccorso. Fu convocata una riunione per discutere il problema, e benché la situazione fosse del tutto nuova per loro, i miei amici escogitarono rapidamente una soluzione. Fu realizzato un buffo oggetto simile ai paraorecchie che si portavano un tempo quando nevicava. Donna dello Spirito piegò a cerchio un legamento di animale e Maestra di Cucito vi applicò tutt'intorno delle piume. Quando lo indossai sulle orecchie spalmate di olio, ne ebbi un indicibile sollievo.

Quel giorno, mentre camminavamo, giocammo agli indovinelli. A turno uno di loro imitava animali e rettili, oppure interpretava fatti accaduti nel passato, e gli altri dovevano indovinare. Le risate non si contavano. Le impronte dei miei compagni di viaggio non mi sembravano più piaghe sulla sabbia, e incominciavo a cogliere le lievi differenze che caratterizzavano le varie andature.

Con l'approssimarsi della sera presi a scrutare l'orizzonte, in cerca di tracce di vegetazione. Di fronte a noi, il beige delle piante basse stava cedendo il passo a varie tonalità di verde. Poi, mentre ci avvicinavamo a un nuovo terreno distinsi alcuni alberi. Forse a quel punto non avrei più dovuto sorprendermi del modo in cui le cose si manifestavano dal nulla nell'interesse della tribù della Vera Gente, ma il genuino entusiasmo con cui i miei compagni accoglievano ogni nuovo dono aveva finito col contagiarmi.

Ed eccoli lì, i grossi animali che desideravano essere onorati per la funzione per cui erano nati: quattro dromedari selvatici, ciascuno con una grossa gobba e ben diversi da quelli, puliti e strigliati, che avevo visto nei circhi e allo zoo. I dromedari non sono originari dell'Australia, ma vi furono importati come bestie da soma, ed evidentemente alcuni di loro erano sopravvissuti.

Ci fermammo e sei cacciatori si accostarono alla preda; si erano divisi in due gruppi in modo da attaccarla simultaneamente da est e da ovest e procedevano silenziosi, tenendosi curvi. Ciascuno di loro portava un boomerang, una lancia e lo strumento di legno che serve a scagliare la lancia. Utilizzando per intero l'apertura del braccio e lo scatto del polso, è possibile triplicare la precisione del lancio come la sua potenza.

I loro occhi acuti sorvegliavano il piccolo branco, formato da un maschio, due femmine adulte e un esemplare giovane. Più tardi, mi dissero che avevano mentalmente concordato di attaccare la femmina più anziana. Proprio come il dingo suo fratello, l'aborigeno è in grado di cogliere i segnali inviati dall'animale più debole, che sembra quasi invitarlo a esprimere il desiderio di onorare quella giornata attuando lo scopo della sua esistenza, mentre i più forti si assumono il compito di continuare il ciclo vitale. Senza parole né segnali che potessi osservare, i cacciatori avanzarono in perfetta sincronia. Una lancia piantata nella testa e un'altra che andò simultaneamente a conficcarsi nel petto provocarono la morte immediata dell'animale. I tre superstiti si allontanarono al galoppo finché lo scalpitio dei loro zoccoli non si perse in lontananza.

Scavammo una profonda buca e la rivestimmo con strati di grasso essiccato. Quando Congiunto dei Grandi Animali aprì col coltello il ventre dell'animale come avrebbe fatto con una cerniera, ne scaturirono aria calda e l'odore intenso e pungente del sangue. Gli organi vennero estratti a uno a uno, e il cuore e il fegato, molto apprezzati dalla tribù per le loro proprietà rinvigorenti, messi da parte. Come scienziata, io naturalmente non ignoravo quale preziosissimo apporto di ferro comportassero per un regime alimentare disordinato e imprevedibile. Il sangue venne raccolto in uno speciale contenitore che la più giovane apprendista di Guaritrice portava intorno al collo. Anche gli zoccoli vennero conservati, e mi fu detto che si potevano impiegare per molti utili scopi, che però non riuscii a immaginare.

"Mutante, questo dromedario ha raggiunto l'età adulta solo per te," gridò uno degli improvvisati macellai, sollevando l'enorme vescica.

La mia dipendenza dall'acqua era ben nota, e già da tempo i miei compagni erano in cerca di una vescica con cui foggiare un recipiente adeguato alle mie necessità. Ed ecco che l'avevano trovato.

I mucchi di escrementi indicavano che la zona era assiduamente frequentata da molti animali e io, che avevo imparato a considerare come un tesoro ciò che solo pochi mesi prima trovavo disgustoso, mi misi a raccoglierli, felice di quell'insperato regalo.

La giornata terminò con altre risate e altri scherzi, mentre si discuteva se fosse meglio per me portare la vescica legata in vita, intorno al collo o a mo' di zaino. L'indomani, quando ci mettemmo in marcia, la pelle del dromedario era tesa sopra le teste di parecchi di noi. Era un ottimo modo per proteggerci dal sole, e al tempo stesso dava alla pelle il tempo di seccarsi senza per questo dover interrompere il viaggio. Dopo averla ben ripulita, i miei compagni l'avevano trattata col tannino prelevato da alcune cortecce d'albero. Poiché il dromedario aveva fornito più carne di quanta ci servisse, quella rimasta venne tagliata a strisce, mentre le porzioni che non si erano cotte a sufficienza furono appese a un palo.

Fummo in parecchi a caricarci di questi stendardi, al disopra dei quali la pelle del dromedario, mossa dal vento, si sarebbe conciata nel modo più naturale.

Davvero uno strano corteo, il nostro!

Formiche, non cioccolata

*L*a luce del sole era così abbacinante da costringermi a camminare con gli occhi semichiusi. Ogni cellula del mio corpo produceva sudore che scorreva in minuscoli fiumiciattoli lungo il torace fino alle cosce che a ogni passo sfregavano fra loro, sgradevolmente umide. Perfino il dorso dei miei piedi stillava sudore. Era un fenomeno che non avevo mai riscontrato prima, ma sapevo che cosa significava: avevamo superato la soglia dei quarantatré gradi e stavamo sperimentando temperature quasi intollerabili. Anche i miei piedi avevano subito strane metamorfosi; sulle vesciche già presenti se ne erano formate delle altre che li ricoprivano dall'alluce al calcagno, e ogni sensibilità era scomparsa.

Mentre eravamo in marcia, una donna si staccò per qualche istante dal gruppo e, quando ricomparve, aveva in mano un'enorme foglia di un bel verde intenso, larga almeno quarantacinque centimetri. Non riuscii a vedere da quale pianta l'avesse staccata, e tuttavia la foglia era fresca e carnosa, mentre tutto quello che ci circondava era scuro, secco e friabile. Nessuno però fece domande. Il nome della donna era Portatrice di Felicità, e il suo talento consisteva nell'organizzare giochi. Quella sera sarebbe toccato a lei sovrintendere alle ore dedicate allo svago, e annunciò che avremmo giocato alla creazione.

Arrivammo in prossimità di un formicaio popolato da formiche molto grosse, a occhio e croce lunghe più di due centimetri e mezzo e con l'addome stranamente dilatato. "Ti piaceranno moltissimo!" mi avevano detto, spiegandomi che quelle creature sarebbero state onorate in quanto parte della nostra cena. Erano infatti una varietà di formiche da miele, così chiamate perché il loro ventre contiene una sostanza dolce dal gusto molto simile a quello del miele. Non diventano mai grosse e dolci come quelle che popolano regioni più ricche di vegetazione, e il loro miele non assume la consistenza di una pappa densa e cremosa, di un bel giallo intenso, ma ha la trasparenza del calore e del vento che caratterizzano il loro habitat. In ogni caso, è probabilmente la cosa più vicina allo zucchero candito che questa gente abbia mai assaggiato: allungano le braccia e lasciano che le formiche vi si arrampichino; poi se le infilano in bocca e le succhiano. L'espressione sul loro volto mi disse che le apprezzavano enormemente, e sapendo che prima o poi avrebbero voluto che anch'io le provassi, decisi di prevenirli. Scelsi una formica e me la cacciai in bocca. Il trucco stava nello schiacciarla sotto i denti per estrarne il succo dolce, senza ingoiarla, ma non ci riuscii. Quelle zampette che si dimenavano sulla mia lingua e strisciavano lungo le mie gengive erano intollerabili. La sputai. Più tardi, quando venne acceso il fuoco, i miei amici riempirono di formiche una foglia e la misero a cuocere nella brace. Quando fu pronta, la leccai come avrei fatto con la stagnola di un *Hershey Bar* liquefatto dal calore. Chi non ha mai assaggiato il miele di fiori d'arancio le troverebbe probabilmente una squisitezza, ma dubito che in città quelle formiche riscuoterebbero un grande successo!

Quella notte, mentre facevamo musica e cantavamo, la Signora dei Giochi divise la foglia in pezzi. Il suo sistema di calcolo mi era ignoto, ma il numero dei frammenti era esatto, e ciascuno ne ebbe uno. Subito dopo, ebbe inizio il gioco.

Il primo frammento venne deposto sulla sabbia, seguito da un altro e poi da un altro ancora, finché la musica non cessò e per qualche istante indugiammo tutti a studiare lo schema creatosi. A mano a mano che altre tessere venivano aggiunte, compresi che era consentito spostare a propria discrezione quelle già inserite. Non c'erano turni precisi, a conferma del fatto che non c'era competizione. Presto la metà superiore della foglia fu completata nella forma originaria. A quel punto tutti si congratularono fra loro, stringendosi la mano, abbracciandosi e piroettando. Il gioco era quasi terminato e tutti avevano partecipato. Quindi tornammo a concentrarci e anch'io feci cadere il mio pezzetto; ma più tardi, quando tornai ad accostarmi alla figura, non riuscii più a identificare il mio frammento e mi rimisi a sedere. Ooota, che ancora una volta mi aveva letto nella mente, disse: "Va tutto bene. È solo un'impressione che i frammenti di foglia siano separati, proprio come le persone appaiono separate ma in realtà costituiscono un tutto unico. Questo è il motivo per cui si chiama gioco della creazione".

E proseguì: "Essere un tutto unico non significa che siamo tutti uguali. Ciascun essere è unico e due non possono occupare il medesimo spazio. Come la foglia ha bisogno di tutte le sue parti per raggiungere la completezza, così ogni spirito ha il suo posto speciale. A dispetto di tutte le interferenze e le manovre, alla fine ciascuno riprenderà il suo posto. Alcuni di noi cercano un sentiero dritto, mentre altri apprezzano la fatica insita nel tracciare cerchi".

Solo allora mi resi conto che tutti mi stavano guardando; d'impulso mi alzai e mi avvicinai alla figura. C'era solo uno spazio da coprire e il frammento di foglia necessario era a pochi centimetri di distanza. Lo deposi al suo posto e un grido di gioia risuonò intorno a me negli ampi spazi che racchiudevano il nostro piccolo gruppo di esseri umani.

In lontananza, un branco di dingo sollevarono il muso e ulularono contro il cielo nero e vellutato, costellato di stelle baluginanti.

"Completando lo schema hai confermato il tuo diritto a questa marcia. Noi percorriamo un sentiero diritto nel Tutto. I Mutanti hanno molte fedi, e dicono che la tua via è diversa dalla mia, che il tuo salvatore è diverso dal mio salvatore, che la tua eternità non è la mia eternità. La verità è che ogni vita è unica. C'è solo un gioco in corso. C'è una sola razza, ma molte sfumature diverse. I Mutanti discutono sul nome di Dio, sull'edificio da erigere in suo onore, sui giorni in cui celebrarlo e i rituali da compiere. Com'è venuto sulla terra? Che cosa significano le sue parabole? La verità è la verità. Se tu fai del male a qualcuno, fai del male a te stesso. Se aiuti qualcuno, aiuti te stesso. Tutti hanno sangue e ossa; ciò che ci differenzia sono il cuore e il fine. I Mutanti pensano che tutto questo valga solo per la durata di una vita, e lo pensano in termini di individualità e distinzione. La vera gente lo pensa in funzione dell'eternità. Tutto è uno: i nostri antenati, i nostri nipoti che devono ancora nascere, la vita che è ovunque."

Al termine del gioco, uno degli uomini mi chiese se era vero che alcuni di noi attraversano tutta la vita senza sapere quale sia il talento concessogli da Dio. Dovetti ammettere che avevo pazienti affetti da gravi forme di depressione, schiacciati dalla sensazione che la vita stesse passandogli accanto senza toccarli. Ma, aggiunsi, non eravamo tutti così. Sì, dovetti ammettere, molti Mutanti non credono di possedere speciali talenti e non pensano al loro scopo nella vita se non in punto di morte. Grosse lacrime salirono agli occhi dell'uomo, che scosse la testa come a dire che non riusciva a capacitarsene.

"Perché i Mutanti non riescono a capire che se la mia canzone rende qualcuno felice ho compiuto un buon lavoro? Se aiuti una persona, il tuo è un buon lavoro. Ma puoi aiutare solo una persona per volta."

Chiesi allora se avessero mai sentito parlare di Gesù. "Certamente," mi risposero. "I missionari ci hanno insegnato che Gesù è il figlio di Dio, il nostro fratello maggiore, il Tutto in forma umana, e degno quindi della più grande venerazione. Il Tutto scese sulla terra molti anni fa per ricordare ai Mutanti quello che avevano dimenticato e indicare loro come vivere. Gesù non venne per la tribù della Vera Gente. Avrebbe potuto farlo, perché noi eravamo qui, ma il suo messaggio non era per noi. Noi non abbiamo dimenticato. Vivevamo già secondo la Sua verità. Per noi," continuarono, "il Tutto non è una cosa. I Mutanti sono troppo legati alla forma, non riescono ad accettare ciò che è invisibile o privo di forma. Il Tutto per noi non è un'essenza che avviluppa le cose, né si trova all'interno di esse, bensì è ovunque."

In base alla filosofia di questa tribù, la vita e il processo del vivere sono in continua evoluzione. Parlano infatti di tempo vivo e non-vivo. Una persona è non-viva quando è adirata, triste, quando è addolorata per se stessa oppure ha paura. Non basta respirare per potersi definire vivi; quello è solo un modo per comunicare agli altri che il nostro corpo non è ancora pronto per la sepoltura! Non tutte le persone che respirano sono vive. È giusto mettere alla prova le emozioni negative, ma certo esse non costituiscono un luogo dove sia saggio restare. Quando l'anima prende forma umana, impara a capire che cosa si prova a essere felici invece che tristi, gelosi invece che riconoscenti e così via. Ma è nostro dovere imparare dall'esperienza a distinguere tra ciò che è doloroso e ciò che è meraviglioso.

Parlammo poi di giochi e di sport. Raccontai che in America siamo appassionati di sport, e che anzi paghiamo i giocatori molto di più di quanto non paghiamo gli insegnanti. Mi offrii quindi di dare una dimostrazione pratica e suggerii una gara di corsa. Naturalmente, a vincere sarebbe stato il più veloce. Mi guardarono attenti con i loro grandi occhi scuri, poi si guardarono l'un l'altro, e infine qualcuno si decise a obiettare: "Ma se una sola persona vincerà, tutte le altre perderanno. Dov'è il divertimento in questo? I giochi sono fatti per divertirsi." E ancora: "Come si può desiderare di sottoporre un fratello a una simile esperienza e poi cercare di convincerlo che è davvero un vinto? È un'usanza difficile da capire, per noi. Fra la tua gente funziona?" Mi limitai a sorridere e a scuotere la testa in segno di diniego.

C'era un albero secco nelle vicinanze e col loro aiuto costruii una rudimentale altalena appoggiando un lungo ramo su una roccia. La trovarono tutti estremamente divertente, e perfino i più anziani vollero provarla. Mi fecero poi osservare che ci sono cose che non è possibile fare da soli, e la mia altalena era una di quelle! Vecchi di settanta, ottanta e novant'anni avevano liberato il bambino che era in loro, divertendosi con giochi che non prevedevano né vincitori né vinti, ma solo lo svago generale.

Insegnai loro anche a saltare la corda utilizzando visceri di animali lunghi e molto flessibili, legati insieme. Cercammo poi di delimitare uno spazio sulla sabbia per giocare a campana, ma ormai si era fatto buio e i nostri corpi esigevano il riposo. Rimandammo quindi quel divertimento a un'altra occasione. Quella notte indugiai a lungo a contemplare il cielo ingioiellato. Neppure una cascata di brillanti sul velluto nero di un gioielliere avrebbe sfolgorato di più. La mia attenzione fu attratta come una calamita dalla stella più vivida, e mi colpì il pensiero che questa gente non invecchia come succede a noi. Certo, anche i loro corpi col tempo si logorano, ma è un processo che ricorda piuttosto il lento e regolare consumarsi di una candela. A loro non succede che un organo smetta di funzionare a vent'anni e un altro a quaranta.

L'aria della notte andava finalmente raffreddando il mio corpo. Imparare mi costava sudore e fatica, ma sapevo che non avrei potuto ricevere insegnamenti più preziosi. Come avrei potuto renderne partecipe il mio mondo? Sapevo che non sarei stata creduta; lo stile di vita della Vera Gente sarebbe apparso incredibile ai miei simili, e tuttavia non potevo ignorare l'importanza di abbinare alla cura del corpo quella dell'essere eterno, ferito e sanguinante, che è in ogni uomo.

Come? mi chiedevo contemplando il cielo.

Alla guida del gruppo

Spuntò il sole e la temperatura salì immediatamente. Quel giorno i rituali mattutini furono diversi dal solito, e toccò a me inoltrarmi al centro del semicerchio che guardava a oriente. Ooota mi esortò a celebrare a mio modo il divino Tutto e a pregare perché quella fosse una buona giornata. Conclusa la cerimonia, mentre ci preparavamo a partire, mi fu annunciato che era arrivato il mio turno di guidare la marcia. "Ma non posso," protestai. "Non so dove stiamo andando né come trovare quello che ci serve. Vi sono grata per l'offerta, ma davvero non posso."

"Devi," fu la risposta. "È il momento. Per conoscere la tua casa, la terra, tutti i suoi livelli di vita e il tuo rapporto con ciò che è visibile e invisibile, devi guidarci. È bene chiudere il gruppo per qualche tempo, ed è accettabile passarne dell'altro al centro. Ma arriva sempre il momento in cui si deve guidarlo. Non c'è modo di comprendere il ruolo del comando finché non se ne assume la responsabilità. Ciascuno, senza eccezione, deve prima o poi sperimentare tutti questi ruoli, se non in questa vita, in un altro momento. L'unico modo per superare una prova è affrontarla. Tutte le prove, su ciascun livello, vengono ripetute in una forma o nell'altra finché non vengono superate." Fu così che assunsi la posizione di capogruppo. Era una giornata molto calda e credo che la temperatura avesse superato i quarantun gradi. A mezzogiorno ci fermammo e allestimmo con le pelli una sorta di tenda per ripararci dal sole. Era molto più tardi del solito quando, trascorse le ore più calde della giornata, ci rimettemmo in marcia. Non incontrammo né piante né animali da onorare sotto forma di cena. Non trovammo acqua. L'aria era come uno spazio vuoto, immobile e rovente. Finalmente cedetti e diedi il segnale di fermarsi.

Quella notte chiesi aiuto. Non avevamo né cibo né acqua. Mi rivolsi a Ooota, ma lui mi ignorò. Tentai con altri, consapevole che, pur non comprendendo la mia lingua, avrebbero capito ciò che diceva il mio cuore. E il cuore diceva: "Aiutatemi, aiutaci!" Lo ripetei più e più volte, ma nessuno rispose.

Invece, cominciarono a parlare di come ognuno, a un certo punto della vita, si trovi a camminare nelle retrovie. Ascoltandoli, mi chiesi se i nostri vagabondi americani non fossero tali perché si ostinavano a restare delle vittime. È un fatto che quella centrale è la posizione a cui tende la maggioranza dei miei connazionali. Non troppo ricchi né troppo poveri... non gravemente malati ma neppure perfettamente in salute. Non moralmente puri, ma innocenti di crimini davvero gravi. E tuttavia, prima o poi bisogna armarsi di fede e uscire dal sentiero tracciato. Bisogna imparare a guidare gli altri, se non altro per diventare responsabili di noi stessi.

Mi addormentai leccandomi le labbra screpolate con la lingua penosamente secca. Non avrei saputo dire se il mio senso di stordimento derivava dalla fame, dalla sete, dal caldo o dalla stanchezza.

Marciammo ancora un giorno sotto la mia guida, oppressi da una calura feroce. Ormai avevo la gola quasi completamente chiusa, e deglutivo a fatica. La mia lingua si era ispessita al punto che la sentivo rigida, e avevo la sensazione che si fosse gonfiata enormemente, trasformandosi in una specie di spugna asciutta ficcata tra i denti. Respirare era doloroso e mentre mi sforzavo di non riempirmi i polmoni di aria bollente, cominciai ad apprezzare il naso da koala dei miei amici. Nasi larghi, con narici ampie, ben più adatti ad affrontare quelle incredibili temperature: una vera benedizione.

Intanto, l'orizzonte nudo sembrava farsi sempre più ostile, quasi a sfidare l'umanità. Lì, la terra aveva vinto tutte le battaglie contro il progresso, e ora pareva considerare la vita come un'anomalia. Non c'erano strade, nessun aeroplano solcava il cielo sopra di noi, non si vedevano neppure tracce di animali.

Sapevo che, se la tribù non mi avesse aiutata in fretta, saremmo certamente morti. La marcia si era fatta lenta, ogni passo costava fatica e dolore. In lontananza si intravedeva un grosso nuvolone carico di pioggia, ed era torturante la consapevolezza che non saremmo mai riusciti a camminare abbastanza veloci per ricevere il prezioso dono che esso conteneva. Non avevamo neppure la speranza di avvicinarci quanto bastava per godere della sua ombra. Tutto ciò che potevamo fare era contemplarlo con desiderio, e pensare che la vita correva dinanzi a noi come una carota fatta penzolare davanti a un asino.

A un certo punto gridai. Forse per dimostrare a me stessa che potevo ancora farlo, forse semplicemente spinta dalla disperazione. Ma non servì a nulla. Il mondo ostile si limitò a ingoiare il mio grido come un mostro affamato.

Il miraggio di una pozza d'acqua fresca ondeggiava davanti ai miei occhi, ma quando la raggiunsi trovai solo sabbia, nient'altro che sabbia.

Anche il secondo giorno passò senza né cibo, né acqua né aiuto. Quella notte ero troppo esausta e scoraggiata persino per ricordarmi di ripiegare la mia pelle a mo' di cuscino; credo che non mi addormentai, ma semplicemente svenni.

La terza mattina mi rivolsi a tutti i membri del gruppo e in ginocchio li pregai facendo appello alle poche energie che ancora mi restavano. "Aiutatemi, vi prego. Salvateci." Parlare mi riusciva difficile perché mi ero svegliata con la lingua così secca da non riuscire quasi a staccarla dal palato.

Mi ascoltarono e mi guardarono con attenzione, ma per tutta risposta si limitarono a sorridere. Ebbi l'impressione che stessero pensando: "Anche noi abbiamo fame e sete, ma questa è la tua esperienza, e noi ti sosterremo senza riserve perché tu possa imparare". Nessuno si offrì di aiutarmi.

Camminammo e camminammo. L'aria era immobile e il mondo inospitale, come irritato dalla mia intrusione. Nessun aiuto sarebbe giunto, per noi non si sarebbe aperta nessuna via di scampo. Ormai il caldo aveva fugato ogni sensibilità dal mio corpo, che non reagiva più. Stavo morendo; quelli erano i segni di una fatale disidratazione, lo sapevo bene. Stavo morendo.

I miei pensieri vagavano come farfalle impazzite. Rievocai la mia giovinezza. Mio padre aveva lavorato sodo per la Santa Fé Railway. Era bellissimo, e in tutta la mia vita non era mai capitato che mi rifiutasse il suo amore, il suo aiuto e il suo incoraggiamento. La mamma era sempre a casa per noi. Aveva l'abitudine di dare da mangiare ai vagabondi e questi ormai sapevano da quale casa, fra tutte, non sarebbero mai stati cacciati. Mia sorella era una studentessa brillante e molto popolare, così graziosa che potevo restare per ore a guardarla mentre si preparava per un appuntamento. Cresciuta, avrei voluto essere come lei. Poi ripensai al mio fratellino, mentre abbracciava il cane e si lamentava perché le compagne di scuola volevano prenderlo per mano. Da bambini eravamo stati buoni amici, sempre pronti ad aiutarci l'un l'altro, ma nel corso degli anni ci eravamo allontanati. Quel giorno compresi che non avrebbero neppure intuito la disperazione che ora mi attanagliava. Avevo letto da qualche parte che in punto di morte tutta la vita scorre davanti agli occhi. Be', la mia non stava esattamente sfilando nel mio cervello come un film; piuttosto, mi tornavano alla mente i ricordi più insoliti. Mi rivedevo in cucina ad asciugare i piatti e a studiare l'ortografia. La parola più difficile con cui mi fossi mai cimentata era aria condizionata. Mi rivedevo innamorata di un marinaio e poi il matrimonio in chiesa, il miracolo della nascita del mio primo figlio e quindi di mia figlia, partorita in casa. Ricordai tutti i lavori che avevo intrapreso, gli anni di studio, i diplomi, poi divenni nuovamente cosciente del fatto che stavo morendo nel deserto australiano. Qual era stato lo scopo di tutto ciò che avevo compiuto? Avevo realizzato il fine a cui la mia vita aveva teso? "Buon Dio," dissi tra me e me, "aiutami a capire che cosa sta succedendo!"

La risposta giunse immediata.

Mi ero allontanata di oltre quindicimila chilometri dalla mia città natia, eppure il mio modo di pensare non era mutato di una virgola. Provenivo da un mondo che dava ascolto alla parte sinistra del cervello. Ero stata cresciuta in base ai criteri della logica e del buonsenso, mi era stato insegnato a leggere, a scrivere, a fare di conto, a considerare la causa e l'effetto; ma lì era la parte destra del cervello a dettar legge, e le persone con cui mi trovavo non sapevano che cosa farsene dei miei cosiddetti principi educativi e delle necessità degli individui civilizzati. Loro erano i maestri della parte destra del cervello, perché usavano la creatività, l'immaginazione, l'intuito e i principi spirituali. Non trovavano necessario neppure verbalizzare le loro comunicazioni; si parlavano attraverso il pensiero, la preghiera o la meditazione, comunque si voglia chiamarle. Io avevo supplicato e chiesto aiuto con le parole. Come dovevo essere apparsa ignorante! Un membro della tribù della Vera Gente avrebbe chiesto in silenzio, rivolgendosi alla mente e al cuore dei compagni, alla consapevolezza universale che accomuna tutte le vite. Fino a quel momento mi ero considerata diversa dalla tribù, un'entità a se stante. Anche se avevano continuato a ripetere che siamo un Tutto unico e che essi vivono nella natura come Uno, fino a quel momento io mi ero limitata al ruolo dell'osservatrice, tenendomi volontariamente in disparte. Invece, dovevo diventare Uno con loro, con l'universo, e comunicare come la Vera Gente faceva. E così feci. Mentalmente dissi: "Grazie" alla fonte di quella rivelazione, e mentalmente gridai: "Aiutatemi. Per favore, aiutatemi". Ricorsi alla formula che sentivo recitare ogni mattina dalla tribù. "Se questo è inteso per il mio bene supremo, e per il bene supremo di tutta la vita ovunque essa sia, permettetemi di imparare."

Un nuovo pensiero si formò nella mia mente. "Metti in bocca il sasso." Mi guardai intorno, ma non vidi alcun sasso. Da un'ora stavamo procedendo su una distesa di sabbia finissima. "Metti in bocca il sasso," fu ribadito. Allora ricordai il ciottolo che avevo scelto e che avevo infilato in seno. Erano passati mesi da allora, e lo avevo completamente dimenticato. Lo tirai fuori, me lo infilai in bocca facendolo rotolare con la lingua, e miracolosamente sentii che la saliva ricominciava a formarsi. Potevo deglutire di nuovo. C'era ancora speranza. Forse, dopotutto, quel giorno non sarei morta.

"Grazie, grazie, grazie," dissi in silenzio. Avrei pianto, ma il mio corpo non conteneva umidità sufficiente per le lacrime. Così continuai a chiedere aiuto con la mente. "Posso imparare. Posso fare tutto ciò che è necessario.

Ma aiutatemi a trovare l'acqua. Non so che cosa fare, dove cercare."

"Sii tu acqua," fu il pensiero che arrivò fino a me. "Sii tu acqua. Quando ti sarai fatta acqua, la troverai." Non capivo, non aveva senso. Farsi acqua? Com'era possibile? Nondimeno, mi concentrai sforzandomi di escludere la parte sinistra del cervello. Chiusi la porta alla logica, chiusi la porta alla ragione e mi aprii invece all'intuito. Serrai gli occhi e cominciai a farmi acqua. Ora camminavo utilizzando tutti i miei sensi. Sentivo l'odore dell'acqua, ne gustavo il sapore, ne saggiavo la consistenza. La udivo scorrere, la vedevo. Era fredda, azzurra, limpida, fangosa, stagnante, increspata; era ghiaccio, vapore, pioggia, neve, umidità; nutriva, si espandeva, era infinita. Ero acqua in tutte le sue forme, in tutti i suoi molteplici aspetti.

Stavamo attraversando una pianura che si stendeva a perdita d'occhio. In vista c'era solo un modesto rilievo di colore fulvo, una duna alta meno di due metri con una sporgenza rocciosa sulla sommità. Sembrava fuori posto in quel tetro paesaggio. Lo raggiunsi, gli occhi semichiusi per proteggerli dalla luce abbagliante, e come in trance mi arrampicai fino in cima e sedetti sulla roccia. Quando abbassai lo sguardo li vidi tutti lì, gli amici che mi avevano sostenuta senza riserve; si erano fermati e mi guardavano esibendo grandi sorrisi che arrivavano da un orecchio all'altro. Cercai di sorridere anch'io, e nello spostare all'indietro la mano sinistra per appoggiarmi, sentii qualcosa di umido. Girai di scatto la testa e alle mie spalle vidi una pozza di circa tre metri di diametro e profonda più di cinquanta centimetri, piena dell'acqua cristallina depositata dalla nube il giorno prima.

Sono fermamente convinta di essere stata più vicina al Creatore mentre sorbivo quel primo sorso di acqua tiepida di tutte le volte che ho fatto la comunione in chiesa.

Priva di orologio, non potevo stabilire con certezza l'ora, ma credo che non fosse passata più di mezz'ora dal momento in cui avevo cominciato a essere acqua a quello in cui tuffammo la testa nella pozza, gridando la nostra gioia.

Mentre stavamo ancora celebrando il nostro successo, arrivò un serpente, così enorme da ricordare le creature preistoriche che un tempo abitavano la terra. Non era un miraggio, però, anzi era perfettamente reale. Che cosa poteva essere di più adatto per la nostra cena di quella creatura che sembrava appena uscita da un libro di fantascienza? Il pasto di quella sera si svolse all'insegna dell'esaltazione e dell'euforia.

Quella notte compresi per la prima volta la relazione che la tribù stabiliva fra la terra e i propri antenati. Quella specie di gigantesca tazza rocciosa su cui sedevamo sembrava letteralmente esplosa dalle terre basse che la circondavano, e poteva benissimo essere il seno di una qualche lontana ascendente, la cui consapevolezza si era trasformata in materia inorganica per salvarci la vita. Nel mio intimo battezzai la duna con il nome di mia madre, Georgia Catherine.

Alzai gli occhi verso la vastità che ci circondava, e mentre rendevo grazie capii finalmente che il mondo è davvero un luogo d'abbondanza, pieno di persone gentili pronte a condividere la nostra vita se solo noi glielo permettiamo. Ci sono cibo e acqua per tutti gli esseri viventi, a condizione che ciascuno sia aperto sia a ricevere come a dare. Ma, soprattutto, ora valutavo nella giusta misura le fonti di orientamento spirituale di cui la mia vita era piena. Avrei trovato aiuto in ogni situazione difficile, compreso un assaggio di morte e la morte stessa, ora che avevo superato il limite del *Farlo a modo mio*.

Il giuramento

Da quando vivevo con la tribù, ogni giorno era uguale agli altri, né c'era modo di sapere in quale mese ci trovassimo. Era evidente che per loro il tempo non era importante. Un giorno, però, ebbi la strana sensazione che fosse Natale. Non saprei dire perché, e certo nelle vicinanze non c'era nulla che richiamasse anche solo lontanamente un abete decorato o una caraffa piena di *eggnog*. Ma probabilmente era davvero il 25 dicembre. Ciò mi spinse a riflettere sulla divisione ufficiale della settimana, e mi tornò in mente un episodio verificatosi nel mio studio qualche anno prima.

In sala d'attesa, due religiosi avevano avviato una discussione che si fece animatissima quando si trattò di stabilire se il Sabbath ebraico coincidesse con il nostro sabato o con la domenica. Nell'Outback, il ricordo di quella contesa mi parve comico. In Nuova Zelanda era già il 26 dicembre, mentre in America si festeggiava la vigilia di Natale. Potevo visualizzare con facilità la frastagliata linea rossa che sull'atlante attraversava l'oceano. Il tempo, annunciava quella linea, comincia e finisce qui. Qui, in corrispondenza di una frontiera invisibile su un mare in costante movimento, vede la sua nascita ogni nuovo giorno della settimana.

Ripensai anche a un venerdì sera all'*Allen's Drive Inn*,

quando ero ancora una studentessa alla scuola superiore di St. Agnes. Sul banco c'erano degli enormi hamburger, e noi contavamo i minuti in attesa della mezzanotte. Mangiare carne il venerdì significava commettere peccato mortale e votarsi alla dannazione eterna. Nel corso degli anni la regola era cambiata, ma nessuno aveva mai risposto alla mia domanda: che ne sarebbe stato delle povere anime già all'inferno? Che stupidi timori, mi dissi ora.

Non riuscivo a pensare a un modo migliore per onorare il Natale dell'adottare il modo di vivere della Vera Gente. A differenza di noi, i miei compagni non celebravano di anno in anno le stesse feste; festeggiavano i vari membri della tribù, ma non il giorno del loro compleanno, bensì piuttosto, quando giungeva il momento di riconoscere un loro specifico talento, un nuovo contributo alla comunità, un ulteriore passo avanti verso la crescita spirituale. Non celebravano il tempo che passa, ma ciò che li faceva divenire migliori.

Una donna mi disse che il suo nome era Colei che Computa il Tempo. La tribù crede che ogni essere umano possieda molteplici talenti e progredisca attraverso una serie di rafforzamenti. Al momento lei era un'artista del tempo e lavorava con una compagna dotata di grande capacità mnemonica, soprattutto per i particolari. Quando le chiesi di spiegarsi meglio, mi informò che i membri della tribù erano in attesa di ricevere indicazioni proprio a questo proposito, e che più tardi mi sarebbe stato detto se avrei potuto avere accesso a quella conoscenza.

Furono tre le serate in cui non venni inclusa nella conversazione generale, ma capii senza doverlo chiedere che la discussione verteva sull'opportunità di rendermi partecipe di alcune particolari cognizioni. Sapevo altresì che non stavano prendendomi in considerazione soltanto nella mia individualità, ma anche in quanto rappresentante dei Mutanti di tutto il mondo. Era chiaro che in quelle tre notti l'Anziano aveva perorato con ardore la mia causa, mentre Ooota si era mostrato più restio. Poi mi resi conto che ero stata scelta per vivere un'esperienza unica, mai prima d'allora offerta a un estraneo. Forse, la conoscenza di Colei che Computa il Tempo era una richiesta eccessiva.

E intanto continuavamo la nostra marcia nel deserto. Il terreno era di roccia e sabbia ma non completamente brullo, collinoso, non piatto come gran parte delle regioni che avevamo attraversato. Senza alcun preavviso, il gruppo si fermò, due uomini si fecero avanti e, aperto un varco nei cespugli che crescevano tra due alberi, fecero rotolare di lato alcuni grossi sassi. Dietro di essi, nel fianco della collina, si apriva una fenditura ostruita da un cumulo di sabbia che subito qualcuno spazzò via. Ooota si girò verso di me e disse: "Stai per essere ammessa a conoscere il nostro sistema di computo del tempo. Una volta che avrai visto, comprenderai il dilemma che tormenta la mia gente. Non puoi entrare in questo sacro luogo se prima non giuri di non rivelare a nessuno l'ubicazione di questa caverna".

Poi entrarono, lasciandomi fuori ad aspettare. Percepii l'odore pungente del fumo, e poco dopo vidi una sottile voluta levarsi tra i macigni che coprivano la sommità della collina. I miei compagni riemersero a uno a uno, e il primo fu il più giovane. Mi prese le mani, mi guardò negli occhi e mi parlò nella sua lingua natia, che non potevo comprendere. Intuii che era pieno di timori per il modo in cui avrei potuto disporre della conoscenza che stavo per ricevere. Con la sua voce, con i ritmi e le pause del suo idioma, mi stava dicendo che per la prima volta la sicurezza del suo popolo stava per essere messa nelle mani di un Mutante.

Venne poi la donna che si chiamava Narratrice di Storie. Anche lei mi prese le mani e mi parlò. Nella luce vivida del sole, il suo viso sembrava ancora più scuro, le sottili sopracciglia di un nero bluastro e la cornea di un bianco intenso. Fece cenno a Ooota di avvicinarsi, e mentre lei mi teneva le mani e mi guardava dritto negli occhi, lui tradusse per me:

"Il motivo che ti ha portata in questo continente è il destino. Prima della nascita hai concordato di incontrare un altro essere umano e lavorare con lui per il bene reciproco. L'accordo era che non vi sareste cercati prima che fossero trascorsi almeno cinquant'anni. Ora è arrivato il momento. Saprai chi è questa persona perché entrambi siete nati nello stesso giorno e le vostre anime si riconosceranno. Il patto è stato stretto al livello più elevato del tuo essere eterno".

Ero emozionata. Le stesse parole che mi aveva rivolte al mio arrivo in Australia quello strano giovanotto che avevo incontrato nella sala da tè, ora le udivo di nuovo da questa anziana donna del deserto.

Poi Narratrice di Storie prese una manciata di sabbia e me la versò nel palmo della mano. Ne prese un'altra e la lasciò filtrare tra le dita, invitandomi a fare altrettanto. Ripetemmo quel gesto quattro volte in onore dei quattro elementi: acqua, fuoco, aria e terra. Qualche impalpabile granello mi restò attaccato alle dita.

A uno a uno arrivarono tutti gli altri e ciascuno mi prese le mani e ciascuno mi parlò. Ma Ooota non tradusse più. Dopo aver trascorso qualche minuto in mia compagnia, ognuno rientrava nella caverna e un altro prendeva il suo posto. Colei che Computa il Tempo fu una degli ultimi a uscire, e non era sola. Con lei c'era Custode della Memoria. Ci prendemmo per mano per fare un cerchio, con le dita ancora intrecciate ci chinammo a toccare la terra, poi ci rialzammo e tendemmo le mani verso il cielo. Ripetemmo il rituale sette volte per onorare le sette direzioni: nord, sud, est, ovest, sotto, sopra e dentro.

Verso la fine, arrivò Uomo di Medicina. L'ultimo fu l'Anziano. Per suo conto, Ooota mi disse che i luoghi sacri degli aborigeni, compresi quelli della tribù della Vera Gente, non appartenevano più ai nativi. Il luogo sacro destinato agli incontri di tutte le tribù, un tempo chiamato Uluru e ora Ayers Rock, era un dosso rossastro che si erge al centro del paese. Si tratta infatti del più grande monolite del mondo, alto trecentottantaquattro metri, e ora accessibile ai turisti, che vi si arrampicano come formiche prima di tornare ai loro pullman e trascorrere il resto del giorno nell'acqua clorata e asettica della piscina di un albergo. Benché persino il governo affermi che il monolite appartiene sia agli indigeni sia ai discendenti dei coloni inglesi, è ovvio che esso ha perduto ogni sacralità e che non può più essere usato per riti e cerimonie. Circa 175 anni fa, i Mutanti cominciarono a installare i pali del telegrafo attraverso quei vasti spazi e gli indigeni furono costretti a cercare un luogo diverso. Da allora, tutte le espressioni artistiche, le testimonianze storiche e i reperti sono stati rimossi. Alcuni oggetti furono esposti nei musei australiani, ma la maggior parte finirono all'estero. Le tombe sono state violate e gli altari spogliati. Secondo la tribù, i Mutanti erano talmente insensibili da credere che l'eliminazione dei luoghi sacri avrebbe portato alla morte della religione aborigena. Non riuscivano neppure a concepire che la gente potesse andarsene altrove. Nondimeno, il loro intervento fu un colpo devastante per i raduni multitribali, e segnò l'inizio di quello che si è poi tradotto nella totale disgregazione delle nazioni aborigene. Alcuni di loro tentarono di opporsi, e perirono combattendo una battaglia persa. Un numero maggiore scelse il mondo dell'uomo bianco, alla ricerca delle molte cose buone promesse, tra cui cibo in abbondanza, e morì in povertà, che non è altro che schiavitù legalizzata.

I primi abitanti bianchi dell'Australia erano prigionieri che arrivarono in catene dal mare, perché così si pensava di rimediare all'affollamento delle carceri inglesi. Persino la vita dei soldati mandati a sorvegliare i criminali era considerata sacrificabile dai tribunali del re. Non deve quindi stupire se a pena scontata il detenuto, che veniva rilasciato senza un soldo e senza essere stato sottoposto ad alcuna forma di riabilitazione, finiva col rivalersi sugli indigeni. Poteva esercitare il potere solo su chi gli era inferiore, e i nativi sembravano fatti apposta per questo ruolo.

Ooota rivelò che, circa dodici generazioni addietro, alla sua tribù era stato indicato di tornare lì.

"Questo sacro luogo ha mantenuto in vita la nostra gente fin dall'inizio del tempo. Da quando la terra era piena di alberi, addirittura dalla grande alluvione che ricoprì ogni cosa. La nostra gente qui era al sicuro. Non è mai stata individuata dai vostri aeroplani, e nessuno di voi può sopravvivere nel deserto il tempo sufficiente a scoprirlo. Sono ben pochi gli umani che ne conoscono l'esistenza. Le antiche testimonianze della nostra razza sono state portate via dalla tua gente. Noi non possediamo più nulla se non quello che vedrai qui, sotto la superficie della terra. Non c'è un'altra tribù aborigena che conservi reperti in grado di aiutarla a ricostruire la propria storia. Sono stati tutti rubati dai Mutanti. Qui c'è tutto ciò che rimane di un'intera nazione, di un'intera razza, del vero Popolo di Dio, gli unici autentici esseri umani rimasti sul pianeta."

Quel pomeriggio, Guaritrice venne da me una seconda volta. Portava con sé un barattolo di vernice rossa. I colori usati dalla tribù rappresentano fra le altre cose i quattro componenti del corpo: ossa, nervi, sangue e tessuto. Con gesti e istruzioni inviatimi mentalmente mi disse di dipingermi la faccia. Quando ebbi ubbidito, gli altri uscirono, e di nuovo, guardandoli negli occhi a uno a uno, mi impegnai a non rivelare mai l'esatta ubicazione del luogo sacro.

Dopodiché fui scortata all'interno.

Si svela il tempo del sogno

$\mathcal{M}$i trovai in un immenso locale con pareti di solida roccia e corridoi che si dipartivano in numerose direzioni. Stendardi variopinti decoravano i muri e sulle sporgenze naturali della roccia c'erano delle statue. Quello che vidi in un angolo mi fece pensare per un istante di essere pazza. Era un giardino! I macigni che sormontavano la collina erano disposti in modo da consentire l'accesso alla luce del sole, e udii chiaramente lo sgocciolio dell'acqua sulla roccia... C'era una vena sotterranea convogliata lungo un condotto naturale che non smise di scorrere per tutto il tempo che restammo lì. Un'atmosfera incontaminata, semplice ma eterna.

Fu quella l'unica occasione in cui vidi i miei amici rivendicare qualcosa come appartenente a loro e a loro soltanto.

Nella caverna venivano conservati oggetti cerimoniali, ma anche giacigli ben più elaborati dei nostri, realizzati con molte pelli impilate l'una sull'altra. Riconobbi degli zoccoli di dromedario trasformati in strumenti taglienti. Vidi una stanza la cui funzione era paragonabile a quella di un museo. Era lì che la tribù accumulava gli oggetti raccolti nel corso degli anni dai ricognitori che si recavano nelle varie città. C'erano, ritagliate da riviste, fotografie di televisori, computer, automobili, lanciarazzi, carri armati, *slot machine*, edifici famosi, uomini appartenenti a razze diverse, e persino piatti di alta cucina dai colori patinati. Non mancavano i doni ricevuti: un paio di occhiali da sole, un rasoio, una cintura, una cerniera lampo, delle spille di sicurezza, un termometro, pinze, batterie, penne e matite e alcuni libri.

Un settore era dedicato alla tessitura. La Vera Gente infatti scambia lane e altre fibre con le tribù vicine e a volte fabbrica coperte di corteccia d'albero e rotoli di corda. Indugiai a lungo a osservare un uomo che torceva alcune fibre arrotolandosele intorno alla coscia e poi le legava per formare dei lunghi fili che, intrecciati insieme, diventavano funi di vario spessore. Gli aborigeni usano anche tessere i capelli per vari usi. Allora ignoravo che i miei amici si coprivano il corpo perché sapevano che, in quella fase della mia vita, mi sarebbe stato difficile, forse addirittura impossibile, accettare la mia e la loro nudità.

Fu una giornata piena di meraviglie, e Ooota mi spiegò ogni cosa mentre esploravamo l'interno della caverna. Nei tratti che si inoltravano più in profondità, era necessario accendere le torce, ma il locale principale aveva un soffitto di pietre che potevano essere spostate dall'esterno, così da variare l'intensità della luce. La caverna non è però un luogo d'adorazione per la tribù della Vera Gente: semplicemente la loro esistenza è un unico, ininterrotto atto di adorazione. Il luogo più sacro è semplicemente quello in cui conservano le testimonianze della loro storia, e dove è possibile insegnare la Verità e a preservare i valori. È un rifugio dal modo di pensare dei Mutanti.

Tornati nella grande sala, Ooota volle che esaminassi più da vicino le statue di legno e pietra. Con le ampie narici che vibravano, mi spiegò che erano le acconciature a indicarne le prerogative. Un'acconciatura corta simboleggiava il pensiero, la memoria, la capacità di prendere decisioni, la consapevolezza dei sensi fisici, il piacere e il dolore; tutto ciò, insomma, che io mettevo in relazione con la mente conscia e inconscia. Le acconciature alte rappresentavano la creatività che consente di trascendere la conoscenza e di inventare oggetti non ancora esistenti, di vivere esperienze che possono essere reali o irreali, la capacità di sintonizzarsi con la saggezza acquisita da tutte le creature e da tutti gli uomini che hanno popolato la terra. Gli uomini aspirano a sempre nuove cognizioni, ma sembrano non capire che anche la saggezza anela all'espressione. Le acconciature alte rappresentavano inoltre il nostro io autentico e perfetto, la parte eterna di ciascuno di noi a cui possiamo rivolgerci quando abbiamo bisogno di sapere se un'azione che ci accingiamo a compiere sarà per il nostro bene supremo. Notai anche una terza acconciatura, che si apriva a ventaglio intorno alla testa scolpita e arrivava fino a terra. Questa simboleggiava il legame fra tutti gli aspetti di un essere vivente: il fisico, l'emotivo e lo spirituale.

Quasi tutte le statue erano rifinite nei più minuti particolari, e per questo mi stupii nel vederne una priva di pupille. "Tu credi che il Tutto divino veda e giudichi gli uomini," mi spiegò Ooota. "Noi crediamo che ne percepisca le intenzioni e le emozioni, e che non sia interessato a ciò che facciamo quanto piuttosto al perché lo facciamo."

Quella fu forse la notte più significativa di tutto il viaggio, perché fu allora che seppi perché ero lì e che cosa si aspettavano da me.

Ci fu una cerimonia. Io rimasi a guardare mentre gli artisti preparavano vernici di vari colori: bianca quella ricavata dall'argilla, due in diverse sfumature del rosso ocra e una giallo limone. Fabbricatore di Utensili fabbricò alcuni pennelli con dei bastoncini lunghi circa quindici centimetri che sfilacciò e regolò con i denti. Sul corpo dei membri della tribù vennero dipinti disegni elaborati e immagini di animali. Io venni addobbata con un costume di piume, alcune delle quali erano di emu, dal tenero color vaniglia. Dovevo assomigliare all'uccello kookaburra e, nella rappresentazione sacra che stava per avere inizio, fungere da messaggero, volando negli angoli più remoti del mondo. Il kookaburra è molto grazioso, ma il suo verso è simile al raglio dell'asino. Questo uccello ha uno spiccato istinto di conservazione e le sue grandi dimensioni lo rendevano perfettamente idoneo alla funzione che era chiamato a svolgere.

Dopo i canti e le danze, formammo un piccolo cerchio. Eravamo in nove: l'Anziano, Ooota, Uomo di Medicina, Guaritrice, Colei che Computa il Tempo, Custode della Memoria, Operatore di Pace, Amica degli Uccelli e io.

L'Anziano sedeva di fronte a me, con le gambe piegate sotto il corpo, e stava chino in avanti per guardarmi dritto negli occhi. Dall'esterno del cerchio, qualcuno gli tese un calice di pietra pieno di liquido. Lui bevve un sorso e il suo sguardo penetrante che sembrava scrutare fin nelle profondità del mio cuore non vacillò mentre passava la coppa alla persona seduta alla sua destra.

Poi parlò: "Noi, la tribù della Vera Gente del divino Tutto, stiamo per lasciare il pianeta terra. Nel tempo che ci resta abbiamo scelto di vivere al più alto livello di spiritualità, ossia in castità. Non genereremo più figli; e, quando anche il membro più giovane della tribù se ne sarà andato, con lui scomparirà l'ultimo rappresentante della razza umana al suo stato più puro.

"Noi siamo esseri eterni. Ci sono molti luoghi nell'universo dove le anime che si accingono a seguirci possono prendere la forma umana. Noi siamo i diretti discendenti dei primi esseri. Abbiamo superato la prova della sopravvivenza fin dall'inizio del tempo, restando fedeli alle leggi e ai valori originali. È stata la nostra coscienza di gruppo a tenere unita la terra. Ora abbiamo ricevuto il permesso di andarcene. La popolazione del mondo è mutata e ha ceduto una parte dell'anima della terra. Noi andiamo a raggiungerla nei cieli.

"Tu sei stata scelta fra i Mutanti come nostra messaggera per rivelare alla tua gente la nostra partenza. Lasciamo a voi la madre terra. Pregheremo perché comprendiate i danni che il vostro stile di vita sta provocando alla terra, agli animali, all'aria e a voi tutti. Pregheremo perché troviate una soluzione ai vostri problemi senza distruggere questo mondo. Ci sono Mutanti quasi pronti per riconquistare il loro spirito individuale di esseri autentici. Se verrà prestata la dovuta attenzione, c'è ancora il tempo di salvare il pianeta dalla distruzione, ma noi non possiamo più aiutarvi. Il nostro tempo è scaduto. Già l'intensità e la durata delle piogge sono state modificate, il caldo è aumentato e da anni assistiamo al ridursi della riproduzione delle piante e degli animali. Non possiamo più fornire agli spiriti forme umane da abitare perché presto nel deserto non ci sarà più né acqua né cibo".

Avevo la mente in subbuglio, ma mi sembrava di cominciare a capire: dopo tanto tempo, avevano scelto di instaurare un rapporto con un estraneo per farne il loro messaggero. Ma perché proprio io?

La coppa era arrivata fino a me. Conteneva un liquido dal sapore pungente, simile ad aceto mescolato a whisky. Bevvi e la passai al mio vicino di destra.

L'Anziano proseguì: "Ora è tempo che il tuo corpo e i tuoi pensieri riposino. Dormi sorella mia, domani parleremo ancora".

Il fuoco si era ridotto a un letto di braci ardenti. Il caldo saliva verso l'alto e lasciava la caverna attraverso le ampie aperture del soffitto. Non riuscivo a dormire. Chiamai con un cenno Operatore di Pace e gli chiesi se potevamo parlare. Accettò e insieme con Ooota intavolammo una complessa, profonda conversazione.

Operatore di Pace, il viso non meno scabro del paese che avevamo attraversato, mi raccontò che agli inizi del tempo, all'epoca che gli aborigeni chiamano il *tempo del sogno*, la terra era un'unica massa compatta. Il Tutto divino aveva creato la luce, e la prima alba aveva rotto le tenebre eterne. Nel vuoto erano stati collocati innumerevoli dischi rotanti, e il nostro pianeta era uno di questi. Era piatto e privo di tutto; una superficie nuda dove tutto era silenzio. Non un fiore a curvarsi sotto il soffio della brezza. Neppure il vento esisteva. Né canti di uccelli né altre voci rompevano il vuoto del non-suono. Poi il Tutto divino aveva esteso la sapienza a ciascun disco, facendo a ognuno doni diversi. La consapevolezza era venuta per prima, e da essa erano scaturite l'acqua, l'atmosfera, la terra. Erano state poi introdotte tutte le forme di vita provvisorie. Secondo la Vera Gente, i Mutanti trovano difficile definire ciò che chiamano Dio perché danno importanza alla forma. Per le tribù, invece, il Tutto non ha dimensioni, né forma né peso. Il Tutto è essenza, creatività, purezza, amore illimitato e senza confini, energia. Molte fiabe tribali parlano del Serpente Arcobaleno, simbolo del perenne divenire dell'energia, o consapevolezza, che inizia come pace totale, muta le sue vibrazioni e diviene suono, colore e forma.

Intuivo che non era alla consapevolezza dello stato di veglia né all'inconscio che Ooota si riferiva, quanto piuttosto a qualche sorta di consapevolezza creatrice. Essa è ovunque: nelle rocce, nelle piante, negli animali e negli uomini. L'uomo è stato creato, ma il corpo è solo la sede temporanea della sua parte eterna. Altri esseri eterni si trovano in luoghi diversi, sparsi per tutto l'universo. La tribù crede che il Tutto divino creò la donna per prima e che il mondo ebbe origine dal canto. Il Tutto divino non è una persona: è Dio, il potere supremo, positivo e amorevole, che ha creato il mondo riversando energia in ogni dove.

Crede inoltre che l'uomo sia stato fatto a immagine di Dio, ma non in senso fisico, dato che Dio non ha corpo. Furono le anime a essere foggiate a somiglianza del Tutto divino, intendendo con questo che sono capaci di amore puro e di pace, di creatività e di sollecitudine verso le cose. All'uomo vennero donati il libero arbitrio e questo pianeta da utilizzare come un luogo di apprendimento per le emozioni, che sono straordinariamente intense quando l'anima veste forma umana.

Il tempo del sogno è divisibile in tre parti. Era il tempo prima del tempo, ma esisteva anche dopo che la terra era comparsa ma non possedeva ancora un carattere. Nello sperimentare emozioni e azioni, i primi uomini scoprirono che erano liberi di provare collera se così decidevano. Potevano cercare cose per cui sentirsi in collera o creare situazioni che suscitassero collera. Ansia, avidità, lussuria, menzogna e potere non sono sentimenti ed emozioni degni di essere coltivati. Perché ciò fosse compreso, i primi uomini scomparvero e al loro posto apparvero cascate, rupi e così via. Tutte cose che esistono ancora nel mondo e costituiscono luoghi di riflessione per chiunque sia abbastanza saggio da imparare da essi. La terza parte del tempo del sogno è *ora*. Il sogno sta ancora avvenendo, la consapevolezza sta ancora creando il nostro mondo.

Questa è una delle ragioni per cui la tribù non crede che la terra sia destinata a essere posseduta in esclusiva. La terra appartiene a tutte le cose. La via veramente umana passa per la concordia e la condivisione, mentre possedere significa chiudersi agli altri per compiacere se stessi.

Prima dell'arrivo degli inglesi, a nessuno in Australia mancava la terra.

È convinzione della tribù che i primi esseri umani siano comparsi in Australia quando le terre emerse erano ancora un tutto unico. Secondo gli scienziati, circa 180 milioni di anni fa il pianeta era appunto un'unica massa terrestre denominata Pangea, che in seguito si divise in due: la Laurasia, formata dai continenti settentrionali, e il Gondwana, che comprendeva Australia, Antartide, India, Africa e America del Sud. India e Africa si staccarono 65 milioni di anni fa, lasciando l'Antartide fra l'Australia e il Sud America più in basso.

Secondo la tribù, agli albori della storia dell'umanità gli uomini si dettero all'esplorazione, e nei loro vagabondaggi si spinsero sempre più lontano. Davanti alle situazioni nuove che incontravano, invece di affidarsi ai principi fondamentali, adottarono per sopravvivere emozioni e comportamenti aggressivi. Più lontano si spingevano, più si modificavano i loro valori e le loro credenze, e in ultimo anche il loro aspetto esteriore cambiò e nei climi più freddi del nord la loro carnagione si fece più chiara.

Per i membri della tribù il colore della pelle non è un elemento di discriminazione, e sono persuasi che inizialmente eravamo tutti dello stesso colore e che a quel colore stiamo tornando.

Ai Mutanti attribuiscono specifiche caratteristiche. Primo, i Mutanti non sono più in grado di vivere all'aperto. Gran parte di loro muore senza avere mai scoperto che cosa si prova a restare nudi sotto la pioggia. Trascorrono il loro tempo in edifici dotati di riscaldamento e di aria condizionata e soffrono di colpi di sole anche a temperature normali.

Secondo, i Mutanti non hanno più l'ottimo apparato digerente della Vera Gente. Per questo, devono polverizzare, emulsionare, trattare e sottoporre a processi di conservazione il cibo che ingeriscono. Mangiano più cose innaturali che cose naturali. Addirittura, sono arrivati a sviluppare allergie verso alimenti fondamentali e ai pollini dell'aria. Ci sono bambini Mutanti che non tollerano neppure il latte materno.

I Mutanti hanno una comprensione limitata perché misurano il tempo in funzione di se stessi. Sono incapaci di riconoscere un tempo che non sia l'oggi. Per questo distruggono senza tener conto del domani.

Ma ciò che differenzia maggiormente gli esseri umani odierni da quelli di un tempo è la paura. La Vera Gente non conosce la paura, mentre i Mutanti minacciano i propri figli, hanno bisogno di leggi coercitive e di prigioni. La sicurezza di un paese si basa sulla potenza delle armi con cui può minacciare le nazioni vicine. Secondo la tribù, la paura è un'emozione che appartiene al regno animale, dove è molto importante per la sopravvivenza. Ma se gli uomini conoscessero il Tutto divino e capissero che l'universo non è qualcosa di pericoloso, ma un piano in eterno divenire, dimenticherebbero la paura. O si ha fede o si ha paura, i due atteggiamenti non possono coesistere. Il possesso materiale, crede la tribù, genera paura. Più cose si possiedono, più motivi si hanno per avere paura, e si finisce col vivere solo per le cose.

Mi spiegarono anche come apparisse assurdo ai loro occhi il comportamento dei missionari che insistevano per insegnare ai bambini a congiungere le mani e a rendere due minuti di grazie prima dei pasti. Essi fin dal risveglio sono colmi di gratitudine, e durante la giornata non danno mai nulla per scontato. Se i missionari sono costretti a insegnare ai propri figli la gratitudine, qualcosa cioè di innato in tutti gli esseri umani, allora, pensa la tribù, dovrebbero preoccuparsi della propria società, perché forse è questa ad avere maggiormente bisogno d'aiuto.

Non riescono nemmeno a capire perché i missionari proibiscano loro di risarcire la terra. Tutti sanno che meno si prende dalla terra, meno le si deve. La Vera Gente non vede nulla di sbagliato nel saldare un debito, nel mostrare riconoscenza alla terra, lasciando che un po' del proprio sangue sgorghi sulla sabbia. Crede inoltre nell'importanza di onorare chi desidera smettere di nutrirsi e mettere fine alla sua esistenza terrena. Per'loro, non c'è nulla di naturale nella morte per malattia o per incidente. Dopotutto, sostengono, non si può uccidere ciò che è eterno. Come puoi uccidere quello che non hai creato? Credono invece nella libera volontà; l'anima decide liberamente di venire sulla terra, come possono allora esistere regole che le impediscano di tornare a casa? Qui non si tratta di una decisione presa in questa realtà manifesta, ma di una decisione a livello eterno che viene presa da un io.

Credono poi che il modo naturale per abbandonare l'esperienza umana sia l'esercizio della libera scelta. Più o meno all'età di centoventi o centotrent'anni, quando un uomo comincia a pensare con desiderio crescente al ritorno al *sempre*, e dopo aver chiesto al Tutto se questo è per il suo bene supremo, la tribù organizza una festa, una celebrazione della vita.

Il popolo della Vera Gente ha mantenuto per secoli la tradizione di rivolgere la stessa frase a tutti i neonati. Ecco le esatte parole che ciascuno di loro ode al suo ingresso nel mondo: "Noi ti amiamo e ti sosterremo durante il viaggio". Durante la celebrazione finale, tutti si abbracciano e ripetono ancora una volta questa frase. Ciò che ascolti al momento dell'arrivo è ciò che ascolti al momento della partenza! Poi la persona che si prepara ad andarsene va a sedersi sulla sabbia e interrompe tutte le attività corporee. In meno di due minuti il suo corpo cessa di funzionare. Non c'è rimpianto né dolore. Quanto a me, promisero di insegnarmi la tecnica per tornare dal piano umano al piano invisibile non appena fossi stata pronta ad assumermi la responsabilità di una simile conoscenza.

Il termine *Mutante* sembra indicare più uno stato del cuore e della mente che non un colore o un individuo; è, insomma, un atteggiamento. Mutante è chi ha perduto o rinnegato antichi ricordi e verità universali.

Ma arrivò il momento di mettere fine alla nostra discussione. Era molto tardi ed eravamo tutti e tre esausti. La caverna, ieri deserta, quella sera era piena di vita. Ieri il mio cervello ospitava anni di nozioni e di studi, ma ora sembrava essersi tramutato in una spugna pronta ad assorbire diverse e più importanti conoscenze. Il loro modo di vivere era così lontano da me e così incomprensibile nella sua profondità, che mi sentii piena di gratitudine quando i miei processi mentali si persero in un'incoscienza piena di pace.

Gli archivi

Il mattino seguente mi fu permesso di vedere il luogo che i membri della tribù hanno battezzato Passaggio del computo del tempo. Qui hanno infatti realizzato un congegno in pietra che consente al sole di splendere lungo un'asta verticale; solo in un certo giorno dell'anno la luce ha una precisa angolazione, e quando questo accade, la tribù sa che dodici interi mesi sono trascorsi. Allora si tiene una grande festa in onore della donna chiamata Colei che Computa il Tempo e della sua compagna, Custode della Memoria. Le due archiviste quindi celebrano il loro rito annuale, dipingendo un murale in cui sono raffigurate le attività più significative delle sei stagioni aborigene trascorse. Di tutte le nascite e le morti vengono indicati il giorno della stagione e la posizione del sole o della luna, insieme con altre informazioni. Fra incisioni e dipinti, ne contai più di 160. Potei così stabilire che il membro più giovane della tribù aveva tredici anni e che il gruppo comprendeva quattro ultranovantenni.

Ignoravo che il governo australiano avesse partecipato a programmi nucleari finché non ne vidi la testimonianza sul muro della caverna; compresi allora che probabilmente le autorità erano all'oscuro della presenza di esseri umani nelle vicinanze del luogo dell'esperimento. Sul muro era raffigurato il bombardamento di Darwin da parte dei giapponesi. Senza usare né carta né matita, Custode della Memoria conosceva l'esatta sequenza cronologica degli avvenimenti riportati. Mentre descriveva questa registrazione dipinta e cesellata, il viso di Colei che Computa il Tempo irradiava una gioia simile a quella di un bambino che ha appena ricevuto un dono prezioso. Lei e la sua compagna erano entrambe attempate, e guardandole non potei fare a meno di pensare all'alta percentuale di anziani smemorati, irresponsabili e incapaci che caratterizza la nostra cultura; in quelle regioni selvagge, invece, la vecchiaia procede di pari passo con la saggezza, e i vecchi sono pilastri della comunità e modelli da imitare.

Procedendo a ritroso, trovai sulla parete l'incisione relativa all'anno della mia nascita. Lì, nella stagione che indicava il mese di settembre, e per la precisione nelle prime ore del giorno ventinove, era registrata una nascita. Chiesi a chi si riferisse e mi fu detto che in quel giorno era nato Cigno Reale Nero, ora noto come l'Anziano.

Se non spalancai la bocca per lo stupore, fu un puro caso. Quante possibilità ci sono di incontrare qualcuno nato alla stessa ora dello stesso giorno dello stesso anno, all'altro capo del mondo, e dopo che quest'incontro ti è stato preannunciato? Dissi a Ooota che volevo parlare in privato con Cigno Reale Nero.

Anni prima, Cigno Nero era stato informato dell'esistenza di un compagno spirituale ospitato nel corpo di un individuo nato in cima al globo terrestre, fra i Mutanti. Da giovane, avrebbe voluto avventurarsi alla sua ricerca, ma l'esistenza dell'accordo secondo cui sarebbero dovuti trascorrere almeno cinquant'anni prima dell'incontro con il compagno, lo aveva trattenuto. Paragonammo le nostre nascite. Quando avvenne il parto sua madre era sola, e aveva viaggiato parecchi giorni per raggiungere il luogo che aveva prescelto; lì si era accovacciata su una buca di sabbia scavata con le mani e rivestita con la pelle morbidissima di un raro koala albino. La mia esistenza era iniziata in un asettico ospedale dello Iowa, che mia madre aveva prescelto e dove si era recata compiendo un lungo viaggio da Chicago. Il padre di Cigno Nero in quei giorni era in viaggio e si trovava molto lontano, e così il mio. Fino a quel momento, lui aveva avuto tre nomi e io pure. Mi riferì le circostanze che avevano portato a ciascuna scelta. Il raro koala albino comparso sulla strada di sua madre stava a indicare che lo spirito del bambino era destinato al comando. Lui aveva sperimentato di persona l'affinità che lo legava al cigno nero australiano, e in seguito aveva aggiunto l'aggettivo tradotto per me con *Reale*. A mia volta, gli riferii i motivi dei miei cambiamenti di nome.

Che il legame che ci univa fosse reale o immaginario, non aveva molta importanza, perché si tramutò all'istante in una forte amicizia, e da allora avemmo molti colloqui a cuore aperto.

Alcuni degli argomenti che toccammo erano di natura personale e non sarebbe opportuno illustrarli in questo diario, ma voglio rendere partecipi i lettori di quella che ritengo sia l'affermazione più profonda di Cigno Reale Nero.

Quando il mio nuovo amico mi parlò del dualismo presente nel mondo, inizialmente io lo interpretai nel senso consueto... il bene contro il male, la schiavitù contro la libertà e così via, ma mi sbagliavo. Non esistono il bianco e il nero, ma solo infinite sfumature di grigio. E, più importante ancora, tutto il grigio si muove in progressione per tornare al creatore. A quel punto, io affermai scherzosamente che avrei avuto bisogno di altri cinquant'anni per arrivare a capire il concetto che mi aveva espresso.

Alcune ore dopo, nel Passaggio del computo del tempo, scoprii che gli aborigeni sono i veri inventori della vernice spray. Attenti come sono alla salvaguardia dell'ambiente, non usano prodotti chimici tossici, e, poiché si sono sempre rifiutati di cambiare certe abitudini, il metodo impiegato nel 1990 è ancora quello scelto nell'anno 1000. Con pennelli di peli animali dipinsero di rosso scuro un tratto della parete, e quando la tinta si fu asciugata mi insegnarono a mescolare la vernice bianca ricavata dall'argilla con acqua e olio di lucertola usando un pezzo di corteccia. Una volta che la miscela ebbe raggiunto una consistenza accettabile, arrotolarono la corteccia a imbuto e io mi versai la vernice in bocca. Provai una bizzarra sensazione sulla lingua, ma il sapore era neutro. Poi appoggiai la mano sul muro rosso e sputai la vernice tutt'intorno alle dita. Quando sollevai la mano imbrattata, sul muro sacro rimase l'impronta della Mutante. Non mi sarei sentita più lusingata se il mio viso fosse stato riprodotto sulla volta della Cappella Sistina.

Trascorsi un'intera giornata a studiare gli eventi raffigurati sul muro. C'erano riferimenti alla regina d'Inghilterra e alla nuova unità monetaria, al primo avvistamento di un'auto, di un aeroplano, al primo jet, ai satelliti che ruotavano intorno all'Australia e alle eclissi; vidi perfino qualcosa che sembrava un disco volante occupato da Mutanti ben più avanti di me nel processo di mutazione! Alcune cose erano testimonianze oculari di donne che avevano preceduto le attuali Colei che Computa il Tempo e Custode della Memoria nelle stesse funzioni; altre ancora erano state riferite dagli osservatori periodicamente inviati nelle zone civilizzate.

Un tempo erano soliti mandare persone molto giovani, ma ben presto si erano resi conto che era un compito troppo difficile per loro. I giovani si facevano impressionare con troppa facilità dalla prospettiva di diventare proprietari di un furgone, di mangiare il gelato tutti i giorni e di avere accesso alle mille meraviglie del mondo industriale. Le persone di una certa età, invece, avevano più buon senso, e, pur riconoscendo l'attrazione esercitata da quel mondo, non vi soccombevano. In ogni caso, nessuno veniva mai trattenuto presso la tribù contro la sua volontà, e di tanto in tanto capitava che un membro perduto facesse ritorno. Ooota era stato sottratto alla madre subito dopo la nascita, una pratica che in passato non solo era ampiamente diffusa, ma pienamente legale.

Al fine di convertire questi pagani e salvare le loro anime, i bambini venivano rinchiusi in appositi istituti dove vigeva la proibizione di apprendere gli idiomi natii e di praticare i sacri riti. Ooota era cresciuto in città fino ai sedici anni, poi era fuggito per cercare le sue radici.

Ridemmo tutti quando ci narrò come finivano qualche volta le case che il governo assegnava agli aborigeni: loro dormivano in cortile e usavano i locali come magazzino. Questo racconto mise in luce la loro definizione di dono. Secondo la tribù, un dono è tale solo quando si tratta di qualcosa che il ricevente desidera. Non lo è più quando è il donatore a scegliere ciò che vuole regalare. Un dono, infatti, dev'essere offerto senza condizioni e chi lo riceve ha diritto di farne ciò che vuole: può usarlo, distruggerlo, cederlo, e così via. È soltanto suo, e il donatore non si aspetta nulla in cambio. Se invece non risponde a questi criteri, un dono non è da considerarsi tale e andrebbe definito in altro modo. Dovetti ammettere che i doni del governo e, sfortunatamente, quasi tutti quelli che la mia società considera doni, verrebbero senz'altro definiti diversamente da questa gente. D'altro canto, non potevo ignorare di conoscere parecchie persone che fanno continui doni senza saperlo. Persone che offrono parole di incoraggiamento, una spalla su cui piangere, o, semplicemente, sono dei veri amici.

La saggezza di questa gente non finiva di stupirmi. Se fossero stati loro a guidare il mondo, quanta differenza nei rapporti tra i popoli!

L'incarico

L'indomani mi fu consentito di entrare nello spazio più protetto del luogo sacro. Proprio lì si erano svolte gran parte delle discussioni relative alla mia iniziazione. Dovemmo ricorrere alle torce per rischiarare la stanza tempestata di opali, e i bagliori del fuoco si riverberarono sulle pareti, sul pavimento e sul soffitto, dando vita a una fantasmagoria di colori. Avevo la sensazione di stare dentro un cristallo, immersa in un mare di colori che danzavano sotto, sopra e intorno a me. Era in quel locale che la tribù si recava per comunicare direttamente con il Tutto, tramite la pratica che noi chiamiamo meditazione. Mi spiegarono che la differenza tra le preghiere dei Mutanti e la forma di comunicazione scelta dalla Vera Gente sta nel fatto che pregando ci si proietta esternamente verso il mondo spirituale, mentre loro fanno esattamente l'opposto. Ascoltano. Sgomberano la mente da ogni pensiero e attendono il messaggio. Pensano che "Non si può udire la voce del Tutto se si è occupati a parlare".

In questa stanza si sono tenute molte cerimonie nuziali; è qui che i nuovi nomi vengono ufficialmente assunti ed è questo il luogo che molti vecchi desiderano visitare quando stanno morendo. In passato, quando gli aborigeni erano gli unici abitanti del continente, i metodi di sepoltura differivano da clan a clan. Alcuni seppellivano i loro morti avvolti in bende come mummie, e scavavano le tombe nei fianchi delle montagne. Allora Ayers Rock poteva ospitare contemporaneamente molte salme, ma ora naturalmente di tutto questo non c'è più traccia. Le tribú non attribuiscono molto significato alla morte del corpo, che spesso viene seppellito nella sabbia, in una buca poco profonda, perché torni alla terra per essere riciclato, così come avviene per ogni elemento dell'universo. Attualmente, alcuni indigeni chiedono di venire lasciati soli nel deserto, per diventare cibo per il regno animale che tanto fedelmente ha provveduto a sostentarli durante la vita. Per quanto ho potuto capire, la grande differenza è che, diversamente dalla maggioranza dei Mutanti, la Vera Gente sa quale destinazione l'aspetta dopo l'ultimo respiro e, forte di questa conoscenza, parte in pace e piena di fiducia. In caso contrario, la lotta è inevitabile.

Nella sala adorna di pietre preziose si tengono inoltre lezioni molto speciali, come ad esempio quelle concernenti l'arte di scomparire. Per molto tempo si è favoleggiato sulla capacità degli aborigeni di svanire nell'aria davanti a un pericolo. Molti di coloro che si sono trasferiti nelle città sostengono che si tratta di voci infondate, e che la loro gente non ha mai posseduto qualità sovrumane. Ma si sbagliano. Qui nel deserto, l'arte dell'illusione raggiunge livelli eccelsi. E la Vera Gente non sa solo sparire; sa anche moltiplicarsi! Un individuo può moltiplicarsi per dieci o per cinquanta, ed è questo lo strumento di sopravvivenza usato invece delle armi. In pratica, sfruttano la paura degli altri. Non è necessario ricorrere alle lance quando si può creare l'illusione del numero, e i nemici, terrorizzati, fuggono urlando e in seguito raccontano storie mirabolanti di diavoli e stregonerie.

Ci trattenemmo nel luogo sacro solo per pochi giorni, ma prima della partenza celebrammo nella sala dei gioielli una cerimonia in cui mi nominarono loro portavoce ed eseguirono un rito speciale per garantirmi protezione in futuro. Mi unsero la testa e sulla fronte mi applicarono un disco di argentea pelliccia di koala adorno al centro di un opale incastonato nella resina. Poi mi incollarono piume su tutto il corpo, viso compreso. Anche gli altri sfoggiavano costumi di piume. Fu una celebrazione magnifica, con l'accompagnamento di campanelle azionate da ventagli fatti di cannucce e piume. Il suono era incredibilmente bello, come quello degli organi che ho ascoltato nelle più celebri cattedrali del mondo. Suonarono anche zampogne d'argilla e un corto strumento di legno il cui suono era molto simile a quello dei nostri flauti.

Capii allora di essere stata totalmente accettata. Avevo superato le prove, anche se nessuno mi aveva informata in anticipo che vi sarei stata sottoposta senza neppure conoscerne lo scopo. Al centro del cerchio, circondata dai suoni antichi e puri della loro musica, mi sentii profondamente commossa.

La mattina seguente solo una parte del gruppo lasciò quel luogo segreto per accompagnarmi nel resto del viaggio. Per dove? Non lo sapevo.

Buon non-compleanno

Durante il viaggio ci capitò due volte di onorare con una festa il talento di qualcuno. Non c'è membro della tribù che non venga ritenuto degno di una speciale celebrazione, che però non ha nulla a che fare con l'età e il compleanno: è semplicemente un riconoscimento della sua unicità e del suo contributo alla vita. Essi credono che il trascorrere del tempo abbia lo scopo di permettere alle persone di diventare migliori e più sagge, e di esprimere con efficacia sempre maggiore il suo essere. Così, se ora sei una persona migliore di quanto non fossi l'anno scorso, puoi annunciarlo ai tuoi compagni, e loro celebreranno i tuoi progressi.

Una delle feste si tenne in onore di una donna il cui talento nella vita consisteva nell'ascoltare. Il suo nome era Custode di Segreti, ed era sempre disponibile per chiunque volesse sfogarsi o avesse qualcosa da raccontare o da confessare. Non offriva consigli, né giudicava, ma si accontentava di tenere il narratore per mano, di fargli appoggiare la testa sul suo grembo e di ascoltarlo. Possedeva la capacità di incoraggiare chi si rivolgeva a lei a trovare da solo le soluzioni, a seguire ciò che il cuore gli suggeriva.

Pensai ai miei connazionali, ai tanti giovani che brancolano privi di orientamento e di scopi, ai senzatetto con-

vinti di non aver nulla da offrire alla società, ai disadattati che anelano a una realtà diversa da quella in cui viviamo. Avrei voluto portarli lì, perché vedessero quanto poco ci vuole, a volte, per contribuire al benessere della propria comunità, e perché imparassero a conoscere e ad as-
saporare il senso del proprio valore.

Come tutti i suoi compagni, Custode di Segreti conosceva i propri punti di forza. La celebrazione consistette
nel farla sedere in posizione leggermente elevata rispetto
a noi. Custode di Segreti aveva chiesto che l'universo ci
fornisse cibo, se questo era per il nostro bene supremo:
com'era prevedibile, quella sera ci imbattemmo in alcune
piante cariche di bacche e frutti.

Alcuni giorni prima avevamo scorto un temporale in
lontananza, e nelle piccole pozze d'acqua che stagnavano
nel terreno trovammo una grande quantità di girini. Messi a seccare su sassi bollenti, si trasformarono in una fonte nutritiva di cui mai avrei sospettato l'esistenza. Il menù
della festa incluse anche alcuni esemplari di una creatura
salterina dall'aspetto quanto mai sgradevole.

E naturalmente ci fu la musica. Insegnai ai miei nuovi
amici una tipica danza del Texas, la *Cotton Eyed Joe*, che
ballata al suono dei tamburi scatenò ben presto l'ilarità
generale. Spiegai poi in che modo i Mutanti usano ballare
con un partner, e invitai Cigno Reale Nero. Imparò senza
difficoltà i passi del valzer ma non riuscimmo a catturare
il ritmo giusto. Cominciai allora a canticchiare la melodia,
incoraggiandoli a unirsi a me, e di lì a poco tutto il gruppo canticchiava e ballava il valzer sotto il cielo australiano. Quanto a Ooota, se la cavò magnificamente nel ruolo
di maestro di danza nella *square dance*. Quella notte deci-
sero che forse mi ero impadronita a sufficienza dell'arte
medica che praticavo nella mia società, e che presto avrei
desiderato dedicarmi alla musica!

Fu il momento in cui arrivai più vicina a ricevere un nome aborigeno. I miei amici pensavano che io possedessi più di un talento, e cominciavano a capire che potevo amare la Vera Gente e il suo modo di vivere restando al contempo fedele al mio; per questo mi attribuirono il soprannome di Due Cuori.

Alla festa in onore di Custode di Segreti, a turno molti si premurarono di dirle quale conforto rappresentasse per loro la sua presenza, e quanto fosse prezioso il ruolo che svolgeva. Lei mantenne un contegno modesto e al contempo fiero, e accolse gli elogi con dignità regale.

Fu una serata grandiosa, e mentre già mi stavo addormentando mormorai un "Grazie" all'universo per avermi regalato una giornata tanto bella.

Se avessi avuto la possibilità di scegliere, non avrei mai accettato di partire con la tribù. Né ordinerei mai girini per pranzo, anche se figurassero nel menù; tuttavia, non potei fare a meno di ricordare quanto siano spesso insignificanti le nostre vacanze, e quanto fossero invece meravigliosi quei giorni nel deserto.

Spazzata via

Il terreno che si stendeva di fronte a noi era sconvolto dall'erosione. Baratri profondi più di tre metri ci costringevano a lunghe deviazioni. Improvvisamente il cielo si fece scuro e comparvero grigie nubi temporalesche. Un fulmine si abbatté a pochi passi di distanza da noi, seguito da un tuono assordante. Ci precipitammo tutti in cerca di un rifugio, sparpagliandoci in ogni direzione, ma era una regione brulla, con pochi cespugli, qualche raro albero e una varietà nana di felce.

Il nubifragio si avvicinava rapidamente, preceduto dal brontolio del tuono. La terra tremò sotto i miei piedi, poi il cielo si aprì e grosse gocce cominciarono a cadere. Un altro lampo, e poi un fragore tanto assordante da togliermi il fiato. Istintivamente, cercai la cinghia di cuoio che portavo in vita, a cui avevo appeso il recipiente dell'acqua e una specie di borsa che Guaritrice aveva riempito di erbe, oli e polveri. Mi aveva spiegato nei particolari l'origine e la funzione di ciascuno di quei prodotti, ma sapevo che per penetrare i segreti della sua arte non ci sarebbe voluto meno tempo di quanto ce ne voglia in America per prendere la laurea in medicina.

Pur in mezzo a tanto fracasso, mi resi conto di un altro suono, un suono aggressivo che non mi era familiare. Ooota mi gridò: "Aggrappati a un albero e tieniti stretta!" Ma non c'erano alberi nelle vicinanze. Alzai gli occhi e vidi qualcosa avanzare turbinando nel deserto. Era alto, nero, largo più di nove metri, e viaggiava velocissimo! Mi fu sopra prima che avessi la possibilità di riflettere. Acqua, un turbinio di acqua vorticante e fangosa mi coprì il viso. Il mio corpo venne afferrato dalla valanga. Lottavo per respirare, con le mani protese in avanti nella speranza di trovare qualcosa, qualunque cosa a cui aggrapparmi. Non sapevo più dove fosse l'alto e dove fosse il basso e avevo le orecchie piene di fango. Cominciai a ruzzolare e mi fermai solo quando sbattei col fianco contro qualcosa di solido, molto solido. Era un cespuglio a cui la forza del vortice mi teneva inchiodata. Allungando quanto più potevo il collo, boccheggiai in cerca d'aria. I miei polmoni urlavano il loro bisogno di ossigeno. Dovevo inspirare, non avevo scelta, anche se ero ancora sott'acqua. Provavo un terrore indicibile, costretta com'ero ad arrendermi a forze che non potevo neppure comprendere. Ormai rassegnata ad annegare, inspirai profondamente, ma incamerai aria, non acqua. La pressione del fango mi impediva di aprire gli occhi, ma sentivo il cespuglio contro il mio fianco mentre la spinta dell'acqua mi faceva piegare sempre di più.

Poi, con la stessa rapidità con cui era cominciato, tutto finì. L'ondata passò oltre e il livello dell'acqua cominciò a scendere. Grosse gocce mi caddero sulla pelle. Rivolsi il viso verso l'alto e lasciai che la pioggia lavasse via il fango. Quando cercai di raddrizzarmi, vacillavo, ma riuscii ad aprire gli occhi e guardandomi intorno vidi che le mie gambe penzolavano a circa un metro e mezzo da terra. Mi trovavo a metà strada sulla parete del burrone. Cominciavo a sentire le voci degli altri, e non potendo arrampicarmi verso l'alto mi lasciai cadere sul fondo. Furono le mie ginocchia ad assorbire la violenza dell'urto; mi avviai barcollando, ma ben presto mi resi conto che le voci venivano dalla direzione opposta e mi affrettai a tornare sui miei passi.

Di lì a poco eravamo di nuovo tutti insieme. Nessuno aveva riportato ferite gravi, ma il nostro carico di pelli era scomparso, e così la mia cintura e i suoi preziosi contenitori. In piedi nella pioggia, ci spogliammo a uno a uno e lasciammo che il fango che ci ricopriva tornasse alla Madre Terra. Mi passai le dita tra la massa aggrovigliata dei capelli, e dovevo essere davvero buffa, perché gli altri vennero a aiutarmi. Mi fecero cenno di sedere sugli indumenti che avevamo steso a terra perché la pioggia li lavasse, poi cominciarono a versarmi acqua tra i capelli, districandone i nodi con le dita.

Quando la pioggia cessò, ci rivestimmo, e una volta che gli abiti si furono asciugati potemmo scuotere la sabbia che si era insinuata in ogni piega. Sembrava che l'aria calda si bevesse l'umidità, lasciandomi la pelle come se fosse stesa su un cavalletto da pittore. Fu allora che seppi che nei mesi più caldi la tribù preferisce non portare nulla addosso, ma che per evitarmi imbarazzo e disagio avevano onorato la mia condizione di ospite adeguandosi ai miei costumi.

L'aspetto più sconcertante dell'intero episodio fu la rapidità con cui ogni tensione si dissipò. Tutti i nostri beni erano scomparsi, ma di lì a poco ridevamo allegramente. Riconobbi che mi sentivo meglio e che probabilmente dopo quella doccia forzata avevo un aspetto molto migliore. La tempesta aveva scosso la mia consapevolezza della grandezza della vita e la mia passione per essa. Essermi trovata così vicina alla morte aveva ridimensionato la mia convinzione secondo cui sono le cose a suscitare in me gioia o disperazione. Fatta eccezione per gli stracci che portavamo addosso, ci era stato spazzato via tutto. I piccoli doni che avevo ricevuto, gli oggetti che contavo di riportare in America per donarli ai miei nipoti, non esistevano più. Ora avevo due sole alternative: lamentarmi della perdita subita o accettarla. Si era trattato di uno scambio equo?, mi chiesi. I miei beni materiali in cambio di quella brevissima lezione sull'importanza di praticare il distacco dalle cose? I miei amici mi spiegarono che probabilmente mi sarebbe stato concesso di conservare i miei averi se nell'economia del Tutto divino non avessi evidentemente dimostrato un eccessivo attaccamento a essi. Avevo finalmente imparato a valorizzare l'esperienza e non l'oggetto?

Quella sera scavarono una piccola buca nella terra, poi vi accesero un fuoco e misero parecchie pietre ad arroventarsi. Quando le fiamme si furono estinte, lasciando solo la pietra, aggiunsero ramoscelli umidi, grosse radici commestibili e infine erba secca. Poi la buca venne ricoperta di sabbia. Dopo un'attesa di circa un'ora, disseppellimmo il cibo e consumammo pieni di gratitudine quel pasto meraviglioso.

Mentre quella sera mi addormentavo priva del conforto di una pelle di dingo, mi tornò alla mente la famosa preghiera:

Dio mi conceda la serenità di accettare le cose che non posso cambiare, il coraggio di cambiare quelle che posso cambiare, e la saggezza di distinguere tra le une e le altre.

Il battesimo

Dopo la pioggia torrenziale, spuntarono fiori dapper-tutto e la distesa brulla si tramutò in un tappeto va-riopinto. Camminavamo sui fiori, li mangiavamo, ci ador-navamo con essi. Era meraviglioso.

Intanto ci avvicinavamo sempre di più alla costa, la-sciandoci il deserto alle spalle. Ogni giorno la vegetazione si faceva più fitta, le piante e gli alberi più alti e numerosi. Anche il cibo era più abbondante, e potevamo contare su nuove varietà di semi, germogli e frutti selvatici. Uno di noi praticò una piccola incisione in un tronco e con l'ac-qua che ne scaturì riempimmo i nuovi recipienti che ave-vamo fabbricato. E, per la prima volta, catturammo del pesce. Il gusto affumicato della sua carne mi accompagna ancora come un prezioso ricordo. Mangiammo anche molte uova, di rettile e di uccello.

Un giorno ci imbattemmo in un magnifico stagno. Per ore mi avevano stuzzicato accennando a una sorpresa, e certo lo stagno lo fu. Se ne stava annidato in un bacino roccioso circondato da una fitta vegetazione, e l'acqua era profonda e fredda. Sembrava di essere nella giungla. Co-me i miei compagni avevano previsto, quella scoperta mi eccitò moltissimo. Lo stagno sembrava abbastanza gran-de per una nuotata, ma quando sollecitai l'autorizzazione mi esortarono ad avere pazienza. Toccava infatti agli abitanti della zona decidere. Celebrarono quindi un rituale in cui chiedevano di poter usufruire dell'acqua, e mentre cantavano, sulla superficie dello stagno cominciarono a formarsi increspature che dal centro sembravano spostarsi verso la sponda opposta. Di lì a poco vidi affiorare una testa lunga e piatta, seguita dal ruvido corpo di un coccodrillo lungo almeno un metro e ottanta. Mi ero completamente dimenticata dell'esistenza di quei rettili, ma quasi subito ne comparve un altro, che come il primo strisciò fuori dell'acqua e scomparve tra le fronde. Quando mi venne detto che sì, ora potevo tuffarmi, mi accorsi di aver perso buona parte del mio iniziale entusiasmo.

"Siete certi che siano usciti tutti?" chiesi mentalmente. Come facevano a sapere che i coccodrilli erano soltanto due? Per tutta risposta, loro presero a sondare l'acqua con un lungo ramo. La superficie rimase quieta e dopo aver messo un uomo di guardia perché ci avvertisse del ritorno dei coccodrilli, entrammo in acqua. Fu tonificante galleggiare sulla superficie, e per la prima volta da chissà quanto tempo sentii i muscoli della schiena rilassarsi completamente.

Per quanto strano possa sembrare, quella mia disinvolta immersione nella pozza dei coccodrilli fu una sorta di battesimo simbolico; non avevo trovato una nuova religione, ma certo avevo trovato una nuova fede.

Non ci accampammo vicino allo stagno, ma riprendemmo il viaggio. La seconda volta che ci imbattemmo in un coccodrillo si trattava di un esemplare molto più piccolo, e il modo in cui comparve indicava con chiarezza il suo desiderio di fornirci nuova vita sotto forma di un pasto. La Vera Gente non mangia spesso carne di coccodrillo, giudicandolo un rettile dal comportamento infido e aggressivo. C'è il rischio che le vibrazioni della sua carne si mescolino a quelle di colui che se ne nutre, rendendolo incline alla violenza e all'aggressività. Mangiammo uova di coccodrillo cotte che avevano un gusto orribile. Nondimeno, quando si chiede all'universo di fornirci la cena, non si può rimandare indietro quello che si riceve. Ci si accontenta di pensare che tutto rientra nell'armonia generale, e si rifiuta una seconda porzione!

Mentre procedevamo lungo il corso d'acqua ci imbattemmo in parecchi serpenti acquatici che conservammo vivi per la cena di quella sera. Una volta accampati, osservai parecchi dei miei compagni afferrare con mano ferma i rettili e infilarsi in bocca le teste sibilanti. Tenendole saldamente con i denti. Poi, con una rapida e forte torsione delle mani li uccidevano all'istante in modo indolore, così che potessero ottemperare allo scopo della loro esistenza. Era convinzione della tribù che il divino Tutto non desiderava che le creature viventi soffrissero, a meno che non si trattasse di una scelta volontaria, ed era con questo spirito che uccidevano gli animali destinati al loro nutrimento. Mentre aspettavamo che i serpenti si affumicassero, ripensai a un mio vecchio amico, il dottor Carl Cleveland, e ai movimenti che per molti anni aveva mostrato agli studenti quando insegnava a rimettere a posto le articolazioni. Un giorno, mi ripromisi, gli avrei illustrato la tecnica di quella particolare torsione.

"Nessuna creatura dovrebbe soffrire a meno che non lo voglia." Ecco un concetto su cui meditare. Donna dello Spirito mi spiegò che al livello più alto dell'essere ogni anima può scegliere di farsi ospitare in un corpo imperfetto, per influenzare positivamente le esistenze di coloro che la circondano e impartire utili insegnamenti. Donna dello Spirito disse che i membri della tribù rimasti uccisi in passato avevano scelto prima della nascita di vivere la vita nella sua pienezza, ma di trasformarsi a un certo punto in un elemento di illuminazione per un'altra anima. Se erano stati uccisi, era perché su un livello eterno avevano acconsentito a che ciò accadesse, il che presupponeva una totale comprensione del significato del *sempre*. La loro morte presupponeva inoltre che l'assassino era uscito sconfitto dalla sfida e che in futuro avrebbe dovuto essere sottoposto ad altre prove. Secondo la Vera Gente, le malattie sono legate allo spirito, e se i Mutanti si aprissero a capire e ad ascoltare il corpo, imparerebbero a considerarle passaggi graduali.

Quella notte, circondata dal deserto buio e informe, sentii il mondo diventare vivo, e compresi di aver finalmente superato la paura. Avevo intrapreso quel viaggio con tutta la riluttanza di uno studente di città, ma ora capivo con assoluta chiarezza quanto fosse importante per me quell'esperienza nell'Outback, dove esistono solo la terra, il cielo e una vita antica, dove sopravvivono zanne, scaglie e artigli preistorici e dove tuttavia a dominare è gente che non conosce la paura.

Sentii che ero finalmente pronta ad affrontare la vita che con tutta evidenza avevo scelto di fare mia.

Il congedo

Ci eravamo accampati molto più in alto rispetto alle notti precedenti e l'aria era fresca e frizzante. Benché non potessi ancora vederlo, mi dissero che l'oceano era poco lontano. Era mattina presto e il sole non si era ancora levato, ma molti dei miei compagni erano già in piedi. Cosa rara al mattino, avevano acceso il fuoco e quando alzai gli occhi vidi il falco appollaiato sopra di me sui rami di un albero.

Dopo il consueto rituale, Cigno Reale Nero mi prese per mano e mi condusse vicino al fuoco. Ooota spiegò che l'Anziano voleva pronunciare una benedizione speciale, e quando tutti si radunarono mi trovai al centro di un cerchio di braccia tese. I miei compagni tenevano gli occhi chiusi e il viso rivolto verso l'alto, e mentre Cigno Nero parlava al cielo, Ooota traduceva per me.

"Ti salutiamo, divino Tutto. Siamo qui di fronte a te con una Mutante. Abbiamo camminato con lei e scoperto che ospita una scintilla della tua perfezione. L'abbiamo toccata e modificata, ma trasformare un Mutante è un compito molto difficile.

"Vedi come la sua strana pelle bianca sta assumendo una sfumatura marrone più naturale? E come i suoi capelli bianchi si allontanano sempre più dal cranio dove dei bei capelli scuri hanno piantato radici? Ma non abbiamo potuto far nulla per il colore dei suoi occhi.

"Abbiamo insegnato alla Mutante molte cose e molto abbiamo imparato da lei. Pare che i Mutanti abbiano nella loro vita qualcosa chiamato sugo di carne. Conoscono la verità, ma essa è sepolta sotto uno strato aromatico di materialismo, interesse, insicurezza e paura. Possiedono inoltre una cosa chiamata glassa. Ciò sembrerebbe indicare che sprecano quasi tutta la vita assaggiando esperienze superficiali, artificiali ed effimere, inseguendo progetti dall'aspetto gradevole e dedicando pochissimi secondi dell'esistenza allo sviluppo del loro essere eterno.

"Abbiamo scelto questa Mutante e ora la lasciamo libera come un uccello sul bordo del nido perché voli via, lontano e in alto, e gridi come il kookaburra per comunicare a chi ascolta che noi ce ne andiamo.

"Non giudichiamo i Mutanti. Preghiamo per loro e li lasciamo liberi, così come preghiamo e lasciamo liberi noi stessi. Preghiamo perché esaminino con attenzione le loro azioni e i loro valori, e imparino, prima che sia troppo tardi, che tutte le esistenze sono una soltanto. Preghiamo perché smettano di distruggere la terra e di distruggersi fra loro. Preghiamo perché ci siano abbastanza Mutanti prossimi a manifestarsi per cambiare le cose.

"Preghiamo perché il mondo dei Mutanti ascolti e accetti la nostra messaggera.

"Fine del messaggio."

Donna dello Spirito si appartò con me, e mentre il sole cominciava a diradare il grigiore del cielo, mi indicò la città che si stendeva davanti a noi. Per me era arrivato il momento di tornare alla civiltà. Con i suoi penetranti occhi neri che guardavano al di là della rupe, la donna dal viso bruno e grinzoso parlò nel suo smozzicato idioma natio, il dito puntato verso la città, e io capii che quello era il mattino del congedo. La tribù si congedava da me e io mi congedavo dai miei maestri. Avevo ben assimilato le loro lezioni? Solo il tempo avrebbe potuto dirlo. Avrei ricordato ogni cosa? Strano, ma più che il ritorno al mondo civile mi tormentava non sapere se sarei stata in grado di comunicare lo spirito autentico del messaggio affidatomi, quando lo avessi riferito alla società australiana.

Poi, ciascun membro della tribù mi salutò. Con tutti scambiai quella che tra amici sembra essere una forma d'addio universale... un abbraccio. Ooota disse: "Non c'è nulla che possiamo darti che tu non abbia già, ma pensiamo che persino ciò che non abbiamo potuto darti tu abbia imparato ad accettarlo, a riceverlo e a prenderlo da noi. Questo è il nostro dono". Cigno Reale Nero mi prese le mani e vidi che, come me, aveva gli occhi pieni di lacrime. "Ti prego, amica mia, di non perdere mai i tuoi due cuori," disse, mentre Ooota traduceva per me. "Sei venuta da noi con due cuori aperti. Ora sono pieni di comprensione e di emozione per il nostro mondo come per il tuo. Hai inoltre concesso anche a me il dono di un secondo cuore, e ora ho una conoscenza e una comprensione ben superiori a quelle che credevo di poter raggiungere. La nostra amicizia mi è cara. Vai in pace, e che i nostri pensieri ti accompagnino per proteggerti."

I suoi occhi si illuminarono quando con aria pensosa aggiunse: "Ci incontreremo ancora, e senza l'ingombro dei nostri corpi umani".

Lieto fine?

Mi allontanai consapevole che la mia vita non sarebbe mai più stata così semplice e al contempo piena di significato come in quegli ultimi mesi, e che una parte di me avrebbe sempre anelato a tornare.

Impiegai quasi l'intera giornata per arrivare in città, e naturalmente non avevo idea di come avrei fatto a raggiungere, da lì, quella in cui avevo preso in affitto una casa. Dal punto in cui mi trovavo era visibile l'autostrada, ma costeggiarla non mi sembrò una buona idea, e continuai attraverso la boscaglia. A un certo punto mi volsi per guardarmi indietro e in quel momento una folata di vento si levò dal nulla, cancellando, come una gigantesca gomma, le impronte dei miei piedi sulla sabbia. Fu come se quella folata pulisse la lavagna su cui era scritta la mia esperienza nell'Outback. Quando raggiunsi la periferia della città, il mio occasionale guardiano, il falco bruno, volteggiò un'ultima volta sulla mia testa.

Vidi in lontananza un uomo anziano. Indossava blue jeans, una camicia sportiva infilata nella cintura che gli cingeva il ventre prominente, e un logoro berretto verde bosco. Vedendomi, non sorrise, e anzi i suoi occhi espressero incredulità. Solo un giorno prima avevo tutto ciò che mi serviva, cibo, indumenti, riparo, assistenza, compagni, musica, divertimento, una famiglia e un'infinità di risate...

e tutto gratis. Ma era un mondo che ormai mi ero lasciata alle spalle, e in quello a cui avevo fatto ritorno tutto ciò che era indispensabile per la sopravvivenza aveva un prezzo. Nello spazio di pochi istanti, mi ero ridotta alla condizione di mendicante. Ero una barbona senza neppure la borsa in cui quelle povere creature conservano le loro cose. Ma conoscevo la verità contenuta in quell'apparenza di povertà e sporcizia, e in un lampo il mio rapporto con i senzatetto di tutto il mondo mutò radicalmente.

Avvicinatami all'australiano chiesi: "Potrebbe prestarmi qualche spicciolo? Sono appena arrivata dalla boscaglia e devo fare una telefonata, ma non ho denaro. Se mi dà il suo nome e l'indirizzo, glielo restituirò".

Lui continuò a fissarmi con tanta intensità che persino le rughe sulla sua fronte si mossero. Poi infilò in tasca la mano destra e ne estrasse delle monetine mentre con la sinistra si tappava il naso. Sapevo di aver ricominciato a puzzare, ed erano passate ben due settimane dal bagno nella pozza dei coccodrilli. L'uomo scosse la testa, come a dire che non ci teneva a riavere i suoi soldi, e si allontanò in fretta.

Un po' più oltre, notai degli scolari in attesa dell'autobus che doveva riportarli a casa. Avevano tutti quell'aspetto lindo che contraddistingue la gioventù australiana, ed erano in uniforme. Soltanto le scarpe tradivano il loro bisogno di distinguersi. Mi accorsi che fissavano i miei piedi nudi, ormai più simili al prodotto di un'orrenda mutazione che a due aggraziate estremità femminili.

Sapevo di avere un aspetto orribile, e potevo solo augurarmi di non sembrare troppo spaventosa con quegli stracci addosso e i capelli che non vedevano il pettine da oltre 120 giorni. Avevo cambiato la pelle del viso, delle spalle e delle braccia così spesso che mi ero riempita di lentiggini e di macchie. Oltre a ciò, avevo già ricevuto una brusca conferma del fatto che puzzavo! "Scusate," dissi. "Sono appena uscita dalla boscaglia. Potete dirmi dove trovare un telefono e anche dov'è l'ufficio postale più vicino?"

La loro reazione fu rassicurante. Non erano spaventati, solo divertiti, e certo il mio accento americano servì a rafforzare in loro la già radicata convinzione degli australiani, secondo cui tutti gli americani sono strambi. Mi dissero comunque che c'era una cabina telefonica a due isolati di distanza.

Telefonai al mio ufficio per chiedere che mi spedissero dei soldi, e loro mi fornirono l'indirizzo dell'ufficio postale. Ci andai, e l'espressione dei presenti mi disse ancora una volta che dovevo avere un aspetto quanto mai insolito. L'impiegata acconsentì malvolentieri a consegnarmi il denaro, dato che non avevo con me un documento di identità. Mentre raccoglievo le banconote, lei spruzzò sia me che il bancone di Lysol-type.

Ora che avevo i soldi, potei prendere un taxi e farmi accompagnare a un centro commerciale dove acquistai pantaloni, una camicia, sandali di gomma, shampoo, dentifricio, una spazzola, uno spazzolino da denti e delle forcine per capelli. Feci poi sosta in un mercato all'aperto dove riempii un sacchetto di plastica di frutta fresca e almeno una mezza dozzina di cartoni di succhi di frutta. Dopodiché mi feci accompagnare in un albergo e chiesi all'autista di aspettare, casomai la direzione non mi avesse accettato. Entrambi avevamo parecchi dubbi in proposito, ma a quanto sembra il denaro è più potente dell'apparenza più discutibile. In camera, mi precipitai ad aprire il rubinetto dell'acqua calda, e mentre la vasca si riempiva chiamai la compagnia aerea per prenotare un posto su un volo del giorno dopo. Rimasi nella vasca per ben tre ore, ripensando agli ultimi anni e soprattutto agli ultimi mesi della mia vita.

Il giorno dopo, con i capelli in uno stato pietoso ma finalmente puliti, e i piedi-zoccoli infilati nei sandali di gomma che avevo opportunamente modificato, salii sull'aereo. I vestiti che avevo comperato non avevano tasche, e fui costretta a infilare i soldi nella camicia.

La padrona di casa fu lieta di rivedermi, e come avevo sperato mi informò di aver sistemato ogni cosa con i proprietari. Non mi restava che provvedere al saldo dell'affitto arretrato. Quel meraviglioso australiano che mi aveva noleggiato il televisore e il videoregistratore poco prima della mia partenza non mi aveva spedito neppure un sollecito, e neanche aveva cercato di riprendersi la sua roba. Anche lui fu lieto di vedermi. Sapeva che non me ne sarei andata senza restituirgli tutto e saldare il conto. Quanto al mio progetto, era ancora in attesa che io gli dedicassi un po' di attenzione. I sanitari che vi avevano preso parte erano alquanto sorpresi, ma mi chiesero scherzando se fossi andata a scavare opali. Seppi che Ooota aveva concordato con il proprietario della jeep perché, nel caso non fossimo tornati, recuperasse lui stesso il veicolo e avvisasse il mio datore di lavoro. Gli era stato spiegato che avevo intrapreso uno *walkabout*, ossia un viaggio con destinazione sconosciuta e compiuto nel cosiddetto non-tempo aborigeno. Poiché ero l'unica in grado di completare il progetto, ai miei colleghi non era rimasto altro che accettare il fatto compiuto, e aspettare con pazienza. Telefonai poi a mia figlia, che fu sollevata nel sentirmi e si eccitò moltissimo quando le raccontai ciò che avevo fatto. Mi confessò che non era mai stata realmente preoccupata, sicura che, se mi fossi trovata in guai seri, lei lo avrebbe in qualche modo percepito. Aprii la posta che si era accumulata e scoprii che avevo mancato la visita del parente incaricato di portarmi gli auguri di Natale della famiglia! Dovevo assolutamente rimediare e spedire a tutti quanti un bel regalo.

Dedicai molto tempo ai miei piedi, in modo da poter infilare di nuovo calze e scarpe, e feci ampio uso di pietra pomice e crema emolliente. A un certo punto, dovetti usare un coltello elettrico per eliminare il tessuto morto!

Mi scoprii felice di ritrovare gli oggetti più strani, come ad esempio il rasoio che usavo per depilarmi le ascelle, la carta igienica, e così via. Cercai in più occasioni di parlare alla gente della tribù che avevo imparato a amare; cercai di spiegare il loro modo di vivere e i loro valori, e soprattutto di illustrare il significato del loro messaggio al pianeta. E ogni volta che sul giornale mi imbattevo in un articolo che parlava della gravità della situazione ambientale e dei pericoli in cui versavano le regioni più verdi della terra, riconoscevo che la decisione dei miei amici era giusta: era necessario che la Vera Gente se ne andasse. Già ora potevano a malapena contare sul cibo necessario, e come avrebbero potuto affrontare gli effetti delle radiazioni future? Erano nel giusto quando sostenevano che l'uomo non può produrre ossigeno, e che solo alle piante e agli alberi è delegato questo compito. Come spesso mi avevano detto: "Stiamo distruggendo l'anima della terra". La nostra fame di costruire macchine sempre più perfezionate ha messo a nudo un'ignoranza profonda che costituisce una grave minaccia per tutte le forme di vita. Un'ignoranza che solo il rispetto per la natura può compensare. I membri della tribù della Vera Gente si sono conquistati il diritto di non prolungare la propria esistenza su un pianeta già sovraffollato. Fin dagli inizi del tempo essi sono stati persone sincere, oneste e pacifiche, e non hanno mai dubitato del loro legame con l'universo.

Non riuscivo a capacitarmi dell'indifferenza e del disinteresse con cui mi scontravo, e solo col tempo capii quanto possa riuscire inquietante il contatto con l'ignoto. Inutilmente mi sforzavo di spiegare che una maggiore disponibilità avrebbe accresciuto la nostra consapevolezza, mitigato i nostri problemi sociali e forse addirittura eliminato le malattie che ci affliggono. Inutilmente; gli australiani non volevano ascoltarmi e si arroccavano su posizioni difensive. Persino Geoff, che a un certo punto mi aveva addirittura parlato di matrimonio, non riusciva ad accettare la possibilità che la saggezza venisse dalla gente della boscaglia. Sapeva che avevo vissuto un'esperienza unica e ne era felice, ma ora sperava che mi mettessi tranquilla e assumessi il ruolo che compete alle donne. Fu così che, ultimato il mio lavoro, lasciai l'Australia senza aver narrato la storia della tribù della Vera Gente.

Avevo la sensazione che il prossimo stadio del mio viaggio nella vita non fosse più sotto il mio controllo, ma guidato da poteri ben più alti.

Sul jet che mi riportava negli Stati Uniti attaccai discorso con il passeggero che mi sedeva accanto. Era un uomo d'affari di mezz'età, con un ventre prominente che sembrava sul punto di scoppiare. Chiacchierammo del più e del meno, e infine anche di aborigeni australiani. Quando gli raccontai della mia esperienza nell'Outback, lui mi ascoltò con attenzione, ma il suo commento conclusivo fu in qualche modo il compendio di tutte le risposte che avevo ricevuto fino ad allora. Disse: "Be', di quella gente a malapena si sa che esiste, e se anche ora se ne va, che differenza vuole che faccia? Francamente, non credo che importerà niente a nessuno! Perdipiù, sono le loro idee contro le nostre, e come è possibile che un'intera società si sbagli?"

Per parecchie settimane il ricordo della meravigliosa tribù della Vera Gente rimase sigillato nel mio cuore. Avevano toccato la mia vita in modo così profondo da rendermi restia ad affrontare la reazione negativa che in qualche modo presentivo. Sarebbe stato come gettare perle ai porci! Gradatamente, tuttavia, cominciai a rendermi conto che i miei vecchi amici erano autenticamente interessati, e alcuni di loro mi chiesero di parlare in pubblico della mia esperienza. La reazione fu la stessa dappertutto; la gente ascoltava affascinata, e in ogni mente si faceva strada la convinzione che ciò che è fatto non può essere disfatto, ma può essere modificato.

Sì, la tribù della Vera Gente se ne andava, ma il loro messaggio restava con noi, a dispetto del sugo di carne e della glassa che ostacolavano il nostro cammino. Né avremmo voluto che restasse e continuasse a generare figli. È una cosa che non ci riguarda. Ciò che dobbiamo fare è mettere in pratica i loro precetti di pace. Ora so che ciascuno di noi ha due vite, quella destinata all'apprendimento e una seconda, appartenente a un'altra dimensione. È arrivato il momento di prestare ascolto ai gemiti spauriti dei nostri fratelli e delle nostre sorelle e alla sofferenza della terra stessa.

Forse ci sarebbero più speranze per il futuro del mondo se smettessimo di cercare di scoprire cose sempre nuove e ci concentrassimo invece sulla riconquista del nostro passato.

La tribù non critica le nostre invenzioni moderne e onora il fatto che l'essenza umana è anche esperienza di espressione, creatività e avventura. Ma crede che alla base della ricerca della conoscenza i Mutanti dovrebbero porre il presupposto: "Se questo è per il bene supremo di tutte le forme di vita, ovunque esse siano". La tribù spera che noi impariamo ad attribuire un valore diverso ai beni materiali e che ne facciamo un uso migliore. Crede inoltre che l'umanità sia più vicina che mai a sperimentare il paradiso. Abbiamo la tecnologia necessaria a nutrire tutti gli abitanti della terra e le conoscenze atte a garantire a ciascuno i mezzi di esprimersi, di affermarsi e di proteggersi, se solo vorremo farlo.

Con l'incoraggiamento e il sostegno dei miei figli e degli amici più cari cominciai a mettere per iscritto la mia esperienza nell'Outback e a parlarne ovunque fossi invitata... nei centri civici, nelle carceri, nelle scuole, nelle chiese e così via. Non sempre il messaggio fu bene accolto. Il KKK parlò di me come del nemico; nell'Idaho, un'altra organizzazione per la supremazia bianca infilò volantini inneggianti al razzismo sui parabrezza delle auto di coloro che erano venuti ad ascoltarmi. Certi cristiani ultra-conservatori reagirono sostenendo che il popolo dell'Outback era composto da pagani destinati all'inferno. Quattro collaboratori di un importante programma-inchiesta della televisione australiana vennero in America, si intrufolarono nella sala conferenze e fecero di tutto per screditare ciò che dicevo. Erano sicuri che nessun aborigeno fosse sfuggito al censimento e vivesse ancora allo stato selvaggio; dissero che ero un'imbrogliona. Nondimeno, col tempo, finì per instaurarsi un meraviglioso equilibrio. Per ogni commento sgradevole, c'era sempre qualcuno desideroso di saperne di più sulla telepatia e sul modo di sostituire l'illusione alle armi, e di conoscere più a fondo i criteri di valutazione e le tecniche adottati dalla tribù della Vera Gente.

$\mathcal{M}$olti mi chiedono in che misura questa esperienza ha modificato la mia vita. La mia risposta è: profondamente. Poco dopo il mio ritorno in patria, morì mio padre. Ero lì a tenergli la mano, a confortarlo con il mio amore mentre se ne andava. Il giorno dopo il funerale chiesi alla mia matrigna qualcosa in suo ricordo, una cravatta, un vecchio cappello, dei gemelli da camicia, ma lei rifiutò. Ebbene, invece di reagire con amarezza, come certamente avrei fatto un tempo, benedii mentalmente quell'anima cara che mi aveva lasciato e uscii per l'ultima volta dalla casa dei miei genitori, fiera del mio nuovo essere. Con il viso rivolto verso il cielo, strizzai l'occhio a papà.

Ora sono convinta che non avrei imparato nessuna lezione se la mia matrigna mi avesse risposto: "Certo, cara, questa casa è piena di oggetti dei tuoi genitori. Prendi quel che vuoi in ricordo di tuo padre".

Sarebbe semplicemente stato quel che mi aspettavo.

La mia crescita avvenne allorché mi fu negato ciò che mi apparteneva di diritto e io riconobbi la dualità.

La Vera Gente mi aveva detto che l'unico modo di superare una prova è farla. La mia vita ora è giunta al punto in cui posso esaminare la possibilità di superare una prova spirituale anche se la situazione sembra molto negati-

va. Ho imparato la differenza che esiste tra osservare ciò
che avviene e giudicare. Ho imparato che ogni cosa può
portare all'arricchimento spirituale.

Di recente, una persona che aveva ascoltato le mie conferenze volle presentarmi un signore di Hollywood. L'incontro avvenne nel Missouri, in una fredda e nevosa sera
di gennaio. A cena, parlai per ore mentre Roger e gli altri
ospiti mangiavano, e la mattina seguente lui mi chiamò
per discutere la possibilità di ricavare un film dalla mia
esperienza.

"Dove eri finita ieri sera?" mi chiese poi. "Stavamo pa-
gando il conto e ritirando i cappotti quando qualcuno ha
notato che eri scomparsa. Ti abbiamo cercata fuori, ma tu
sembravi svanita, e sulla neve non si vedeva neppure
un'impronta!"

"Sì," cominciai io, mentre la risposta andava forman-
dosi nella mia mente come un'idea scritta su una colata di
cemento fresco. "Ho intenzione di passare il resto della
mia vita utilizzando le conoscenze apprese nell'Outback.
Le userò tutte! Persino la magia!"

Io sottoscritto Burnam Burnam, aborigeno australiano della tribù di Wurundjeri, dichiaro di aver letto parola per parola il libro ... *E venne chiamata Due Cuori*.

È il primo libro in vita mia che ho letto tutto d'un fiato dal principio alla fine, pervaso da un sentimento di grande eccitazione e rispetto. È un'opera classica e non viola in nessun modo la fiducia che noi della Vera Gente le abbiamo dato, ma piuttosto ritrae il nostro sistema di valori e alcune questioni esoteriche in modo tale da farmi sentire estremamente fiero del mio retaggio.

Nel narrare l'insieme delle Sue esperienze, Lei ha rimediato a un errore storico. Nel sedicesimo secolo l'esploratore olandese William Dampier scrisse di noi che eravamo "il popolo più primitivo e miserabile sulla faccia della terra" ... *E venne chiamata Due Cuori* ci innalza a un superiore livello di consapevolezza e fa di noi quel popolo regale e maestoso che siamo.

Lettera di Burnam Burnam,
anziano della tribù di Wurundjeri

Indice